D1245489

Mañana hablarán de nosotros

Editorial Dos Bigotes

Mañana hablarán de nosotros

Antología del cuento cubano

Prólogo de Norge Espinosa

Recopilación de Michel García Cruz

Primera edición: mayo de 2015

Publicado por Dos Bigotes, A.C.
www.dosbigotes.es
info@dosbigotes.es

ISBN: 978-84-942413-8-3
Depósito legal: M-14134-2015
Impreso por Solana e hijos Artes Gráficas, S.A.U.
www.graficassolana.es

Diseño de colección:
Raúl Lázaro
www.escueladecebras.com

Impreso en España — Printed in Spain

Índice

Prólogo

Cuerpos que narran sus deseos

1

La cartografía del cuento cubano de tema homoerótico, y más, la tradición de una literatura que se basa en esos asuntos para establecerse como un campo autónomo de provocaciones, comienza mucho más allá de lo que algunos imaginan. Ha sido necesario sudar varias fiebres, superar recelos no solo morales, y establecer un juego mucho más intenso con lo establecido y sus fisuras, para encontrar claves más firmes dentro de ese territorio y reconocerlo, por fin, como un asunto en las letras cubanas que no necesita de explicaciones previas para ser asumido. El silencio que pesó por siglos y décadas, y que pareció en varios momentos inquebrantable, contiene brechas también, a través de las cuales, desde los días de colonia, lo extraño, lo raro, lo diverso, lo *queer*, supo encontrar sus máscaras. El progreso ha sido, justamente, el del abandono de esa máscara. Los relatos que se incluyen en esta selección ya no disimulan lo que los sostiene. Han dejado atrás las maniobras del secreto que, tanto como en otras literaturas, servían para mostrar a un lector entendido las formas de un amor que pudo parecer impronunciable. La Cuba de los 90, la Cuba que sobrevivió al efecto «fresa y chocolate», ha cambiado tanto como para no apelar a esas estratagemas. Pero también es una Cuba que debe aprender a revisar activamente su pasado, su archivo de cuerpos, palabras y deseos, a fin de saberse no condenada a repetir, ingenuamente, con cada amanecer, los gestos de una fundación que ya sucedió hace mucho.

2

En 1989 dos textos marcaron el regreso del homosexual a las letras de la Isla. *¿Por qué llora Leslie Caron?*, relato de Roberto Urías, y el poema *Vestido de novia*, de Norge Espinosa, ganan premios nacionales, como parte de dos cuadernos, y la coincidencia es solo aparente. La Cuba que acogió esas páginas vivía una suerte de sueño reformador, que arrancó desde las revisiones mismas de lo político y lo social desde mediados de la década, y que prometía un crecimiento y una intensidad en todos los órdenes que la caída del Muro de Berlín vino a parar en seco. Emergen en ese período nuevas interrogantes, se visibilizan nuevos rostros en la galería social del país, y en las artes, poetas, pintores, realizadores de cine y vídeo, filtraron otras dudas, otras demandas, mucho más ambiguas y poderosas que aquellas que fueron silenciadas en 1971, cuando se produjo el I Congreso de Educación y Cultura, o en 1965, cuando se abrieron los campos de trabajo forzado bajo las siglas de Unidades Militares de Ayuda a la Producción (UMAP) y que no fueron cerrados sino hasta 1967. La Revolución, amén de su voluntad de arrasar con viejas costumbres y desatar otras libertades, no fue ajena a los prejuicios machistas que, con el arribo del nuevo poder, llegaron incluso a convertirse en políticas de Estado. Ser homosexual devino sinónimo de incompatibilidad con el nuevo proceso. La castración moral, espiritual y física que sufrieron algunos funciona aún como trauma inacallable en la biografía de muchas de esas víctimas, a pesar de la imagen «rosa» que desde algunas instituciones quiere darse actualmente en esa Cuba donde, al parecer, ser homosexual nunca fue del todo un conflicto. Prueba de lo contrario está en esos textos, en las polémicas sordas o declaradas que acompañaron a libros y fragmentos, en lo que hay que hurgar aún, a fin de que esa improbable comunidad cubana LGBTQI no se entienda como rafagazo venido de la nada o masa sin antecedentes. La desmemoria y la ignorancia, en este tipo de luchas, son tan peligrosas, o peor, que la homofobia o el silencio.

3

En 1822 es enjuiciada Enriqueta Faber, mujer francesa que vivió en Cuba vestida como hombre, y que llegó a ejercer como doctor en Baracoa, donde además contrajo matrimonio con una lugareña llamada Juana de León. Su proceso devino mito, que ha inspirado, desde aquellos días hasta el presente, numerosos libros, una obra teatral y documentales. La lectura de varios de esos textos y la consulta de dichos materiales permite al interesado rastrear cómo han variado las perspectivas de asunción ante un asunto como el que ella centraliza a través de los tiempos: desde el asombro que expresa una novela como *Un casamiento misterioso*, publicada en 1897 por Francisco Calcagno, hasta *Mujer en traje de batalla*, del novelista Antonio Benítez Rojo, editada a inicios de la década del 2000. El perfil de esta mujer tan atrevida anuncia otros, y lentamente se han ido recuperando fragmentos que, desde los días de la Colonia, dejan ver de qué manera ciertas tensiones y vibraciones de lo sexual y sus variables se han percibido en la Isla.

Antes de que en 1928 se publicara en Madrid la primera novela donde un autor cubano abordara el homosexualismo (*El ángel de Sodoma*, Alfonso Hernández Catá), el tema había sido discutido intermitentemente. Fernando Ortiz achacaba a los inmigrantes chinos la aparición del «vicio nefando» en tierras criollas; Julián del Casal, el gran poeta modernista, era estigmatizado a partir de sus presuntas debilidades; el teatro bufo ridiculizaba a los jóvenes amanerados, etc. La prensa cubana dejó ver caricaturas sobre «pepillitos y garzonas». En 1914 Miguel de Marcos editó un libro olvidado: *Cuentos nefandos*, dos de los cuales abordaban el tema homosexual. En 1929, también en México, se imprime la novela de Ofelia Rodríguez Acosta *La vida manda*, cuya protagonista tiene tendencias lésbicas, dentro del concepto de mujer moderna que la define. La aparición de los primeros capítulos de una obra mayor, la novela *Hombres sin mujer*, de Carlos Montenegro, desató otras polémicas, animó a Virgilio Piñera a representar el ámbito carcelario en su primer intento dramatúrgico (*Clamor en el penal*, 1937, no editada hasta 1990); y cuando finalmente el libro de Montenegro se edita en México, impone un antes y un después en las letras nacionales. Narradores tan diversos como Reinaldo Arenas, Guillermo Vidal o Angel Sanstiesteban seguirán en algún punto de sus trayectorias la pauta legada por *Hombres sin mujer*.

En 1955 nace la revista *Ciclón*, animada por José Rodríguez Feo y Virgilio Piñera como respuesta arrasadora a la memorable revista *Orígenes* (1944-1955), que lideraba el propio Feo junto a José Lezama Lima. Nucleando a jóvenes escritores, no todos ellos homosexuales, la revista deja ver en sus entregas, que perviven hasta 1959, una suerte de proyecto que avisa de una tradición homoerótica en los ensayos que publica sobre Oscar Wilde, Walth Whitman, Proust... y el poeta cubano Emilio Ballagas, a quien Virgilio «saca del *closet*» en un ensayo sin precedentes. Las obras de Tennessee Williams, Robert Anderson y otros dramaturgos interesados en las neurosis, el sexo desequilibrado y otras actitudes de la vida moderna son frecuentes en los pequeños teatros habaneros. El triunfo revolucionario iba a replantear todo ello, y al imponer una moral que distinguía al homosexual como peligro, detuvo esos ligeros acercamientos a un tema tabú. Pese a ello, aún en la década del 60, pueden rastrearse asomos al conflicto de una sexualidad no normativa, y aparece un libro tan extraordinario como *Paradiso*, de Lezama, y personajes como el del relato *La Yegua*, incluido por Norberto Fuentes en su volumen *Condenados del Condado*, ganador del Premio Casa de las Américas en 1968.

Los años posteriores al I Congreso de Educación y Cultura, y la parametración que se impuso a posteriori, congelaron ese panorama. Escritores, intelectuales, artistas, profesores... cuya vida privada no coincidía con los parámetros morales del nuevo poder, fueron destituidos de sus cargos, separados de sus compañías o centros laborales, y reubicados forzosamente en trabajos nada cercanos a los que desempeñaban. Si a partir de mitad de la década del 70 se suavizó esa política y muchos de ellos recuperaron sus posiciones anteriores, no es menos cierto que otros nunca lograron restablecer sus vidas, y a la menor oportunidad de escape, salían al exilio, como sucedió con José Mario o

Manuel Ballagas, relacionados con el grupo El Puente, que editó sus libros entre 1960 y 1965. Habría que esperar a la década del 80, a los días postreros de ese decenio, para que la lesbiana y el homosexual pudieran encontrar espejos propios dentro de la literatura cubana en los que pudieran reconocerse sin el peso de una culpa castradora.

4

Al anunciarse el triunfo de *El lobo, el bosque, el hombre nuevo* en el concurso de cuentos Juan Rulfo, se desató una suerte de conmoción que llevó no solo a la película inspirada en ese relato de Senel Paz, sino a toda una serie de discusiones que aún perduran en la cultura y la sociedad cubanas. El relato de Paz habla de la amistad posible entre dos personas de sexualidades distintas, con Cuba como escenario, y en la cual el homosexual es el depositario de un legado artístico que el joven militante de la Unión Comunista debe recibir más allá de sus prejuicios. En el casto relato de Senel, David es «iniciado» en términos culturales, a través de un delicado ejercicio de seducción donde la cultura es, en todo caso, lo que penetra al muchacho, y donde aún el abrazo y el encuentro erótico resultan imposibles. Ese encuentro, esa liberación de deseos reprimidos y de carne y amor y odio aparecerá en otros fragmentos que siguieron a este relato y a sus tempranos antecedentes en un caudal que hoy es ya numeroso e indetenible.

La falta de garantías de todo tipo que sobrevino en los años 90 impuso al cubano otra noción de su cuerpo en tanto moneda de cambio. La tabla de salvación que quiso ser el turismo generó otras revoluciones y figuras como la jinetera, o prostituta, en todas sus variantes, llegaron para quedarse en el imaginario nacional. El retorno de aquellos que tuvieron que abandonar el país durante el Mariel, recibidos ya no como gusanos o escoria desechable, sino como proveedores de dinero y mercancías de difícil acceso en plena crisis, indujo otras clases de debate, y multiplicó en direcciones muy opuestas todo lo que se decía desde el discurso oficial, que tuvo que abrir brechas para dar cabida a esta galería inesperada. Los más jóvenes pactaron con la irreverencia y el desapego a las viejas normas, morales o de otro tipo. En la narrativa, la poesía, las artes plásticas o el cine emergente de esa época se traslucía un discurso crítico que defendía la idea de la sobrevivencia a cualquier precio. El cuerpo, única posesión real de cualquier ser, fue la clave de mucho de lo escrito por entonces.

Narradores como Ena Lucía Portela y Pedro de Jesús López forman parte de esa primera avanzada, aportando textos de probada calidad. Tras ellos y con ellos comienzan a aparecer otros fragmentos, capítulos, obras teatrales, cortometrajes, filmes, dentro y fuera de la Isla, que hablan desde la urgencia, y en los que homosexuales, lesbianas, bisexuales, travestis, enfermos de VIH/Sida, ganan una voz crispada. Los relatos de Miguel Ángel Fraga recuperan la memoria de los sanatorios del Sida, mientras que figuras como el propio Virgilio Piñera son recuperadas mediante la lectura de sus párrafos y poemas más confesionales, algunos editados póstumamente. Las obras teatrales de Abilio Estévez o Raúl Alfonso llenan los escenarios con otras interrogantes. Pintores como Rocío García, fotógrafos como René Peña o Eduardo Hernández, cuelgan en los muros obras provocativas. El estreno, en 1993, de *Fresa y chocolate*, demostró la necesidad del público cubano a fin de verse en una pantalla mucho menos predecible. Trece años demoró la más famosa y exitosa obra del cine nacional en dejarse ver en la televisión de la Isla: ciertos espacios, controlados férreamente, no iban a mostrar algunos rostros con demasiada prontitud.

A la altura de estos días, desde la zona de las letras y la cultura, el homoerotismo en casi todas sus variantes tiene ya un sitio en el diálogo de lo Cubano. Un diálogo que aún no ha logrado la misma osadía ni los mismos alcances en otras zonas del tejido que es ese país, reticente ante ciertas políticas de cambio. Cuando en 2008 el Centro Nacional de Educación Sexual (CENESEX) dirigido por Mariela Castro «salió del *closet*» celebrando en una acción pública de gran alcance el Día Mundial de Lucha contra la Homofobia, se visibilizaron otros anhelos que, hasta el momento actual, se han cumplimentado en algunos casos y en otros no. No se trata de tener solo un día de fiesta, una jornada en la que parezca normal o permisible el desborde de una zona de la sociedad cubana, sino de ratificar sus derechos, sus ganancias, y sobre todo, lograr un dominio mayor de su tradición de búsqueda y de luchas. Ahora pareciera, según algunas publicaciones, generadas o no desde el CENESEX, que ser homosexual o lesbiana o transexual en Cuba no implica un cierto orden de conflicto, desde adentro y desde el afuera de esa supuesta comunidad LGBT. La realidad dice otras cosas, sobre todo si se sale del marco privilegiado que es La Habana. Algunos de los relatos incluidos en este volumen también nos hacen la misma advertencia.

5

El libro que presento al lector trae algunos de los nombres mencionados y otros más jóvenes. Las angustias, las anécdotas, los hallazgos de estos cuentos van desde el momento de la iniciación sexual, que Abilio Estévez recrea con su prosa exacta y sutil en *La laguna*, hasta momentos de abandono y violencia, como el que rescata Rubén Rodríguez en *El tigre, según se mire*. Hombres y mujeres que piensan a Cuba desde la sexualidad que no pacta con códigos castrantes, desde la Isla o fuera de ella, son los protagonistas de este volumen. No es el primero de su tipo, ya existen al menos dos antologías editadas en Cuba que sirven de puntuales referencias: *Instrucciones para cruzar el espejo*, preparada por Alberto Garrandés, y *Nosotras dos*, compilada por Dulce María Sotolongo con relatos de tema lésbico, 2010 y 2011, respectivamente. Otras vendrán, junto a esta, pues se habla de un fenómeno aún en movimiento, donde sorprende ver a poetas que saltan a la narrativa para armar sus fábulas (José Félix León o Carlos Pintado), o el modo en que la pérdida salta ante nuestros ojos según la cuentan Anna Lidia Vega o el humor descarnado de Pedro de Jesús y Jorge Ángel Pérez, hasta la confesionalidad en forma de autorretrato de Michel García Cruz, imaginada como eco vago de *Muerte en Venecia*. La mirada pasa desde el homosexual o la lesbiana al enfermo que protagonizan desde una primera persona, a la perspectiva de quienes contemplan a otros personajes y tratan de indagar aún más en lo que sus gestos anuncian. Son autores que no tienen que pactar ya con las escaramuzas del secreto, que dejan a un lado las formas en las que, hasta no hace tanto, se debía inducir al lector para que comprendiera de qué se hablaba. El desparpajo, la transparencia, la confesión, son ahora las claves esenciales. Esa es la operación de cambio, la ganancia que los antecedentes aquí nombrados han ido aportando y que ahora se revela en menos circunloquios, en otros órdenes de libertad física y verbal. Dejo al lector escoger sus páginas preferidas. Y hago una sola y última advertencia: sugiero leer estas páginas no desde el margen, también engañoso y estrecho, que puede ser una muestra de cuentos de tema homoerótico. Propongo que sea leída como otra ventana hacia Cuba, hacia la Cuba de ahora mismo, que puede liberar sus políticas del deseo en la dirección que se antoje a sus protagonistas, para revelarla como un mapa múltiple y contradictorio. Los autores aquí reunidos lo devoran todo, filtran todo a partir de sus biografías (cine, música, lecturas, paisajes, memorias) para decirnos que el deseo puede ser otra cosa. Puede ser este y otro libro. El cuerpo que mañana nos espera. El libro y el cuerpo que empezaremos a leer o a escribir mañana.

Norge Espinosa Mendoza
En La Habana, abril de 2015

Nació en La Habana en 1954. Irrumpió en el panorama literario con *Tuyo es el reino* (1997), que ha sido traducida a doce idiomas y por la que recibió el Premio de la Crítica Cubana en 1999 y el de Mejor Libro Extranjero en Francia en el año 2000. Entre sus títulos más destacados se hallan *El navegante dormido* (2008), la novela *Los palacios distantes* (2002), el libro de cuentos *El horizonte y otros regresos*, la recopilación

Abilio Estévez

de monólogos teatrales *Ceremonias para actores desesperados* y el volumen de prosa poética *Manual de las tentaciones*, por el que obtuvo de nuevo el Premio de la Crítica Cubana y el Premio Luis Cernuda. Como autor teatral ha sido galardonado con el Premio Tirso de Molina por su obra *La noche*. Sus últimos trabajos son *Inventario secreto de La Habana* (2004), *El bailarín ruso de Montecarlo* (2010) y *El año del calipso* (2012).

La laguna

1

Esta es la historia de una pequeña felicidad que, por alguna inexplicable causa, tuvo lugar el día que cumplí dieciséis años. Ahora, después de tanto tiempo, no puedo asegurar si el suceso guarda relación con semejante acontecimiento de mi vida. Estoy dispuesto a garantizar, en todo caso, que era un domingo gris y húmedo, porque yo solo iba a la laguna los domingos, y, además, el invierno, como siempre que llegaba mi cumpleaños, sacudía por fin las ramas de los aralejos, los cedros, los mangos casi sin hojas, con sus vientecitos leves, grises, del norte, y dejaba caer las primeras lloviznas, un escurrir inseguro que se dispersaba, como una neblina, antes de llegar a la tierra. La tímida revelación invernal agregaba exaltación al viaje de los domingos. Era tan inesperado y efímero el invierno que su presencia transformaba el paisaje, como si de pronto despertáramos en otro sitio, como si luego de tanto sol, el país no fuera el país, sino un paraje lejano, de cobijas, nubarrones, escarchas y sombras. Y esa ilusión fugaz, como cualquier ilusión, constituía un goce agregado al goce habitual de los domingos.

Para llegar a la laguna, solía tomar el tren de las once. Digo «tren» porque se desplazaba sobre raíles y porque alguna vez lo debió haber sido, y porque además así lo continuábamos llamando con esa obstinada voluntad por mantener la nobleza de los tiempos y las cosas. Estoy hablando en realidad de dos coches viejísimos, casi sin techo y sin cristales en las ventanas, tirados por una locomotora antigua que, si no era de vapor, lo simulaba bien, por el humo blanco e inexplicable que iba dejando a su paso. No era el único tren que cruzaba por mi pueblo: sí el único que realizaba el trayecto zigzagueante desde Marianao hasta Guanajay, vadeando los más recónditos caseríos (El Guatao, Corralillo, La Matilde, La Fautina), atravesando Vereda Nueva y más allá, y el único, además, que paraba no solo en cada pueblo (razón por la que le llamaban «el heladero»), sino en cada una de las estaciones, por perdidas o ilusorias que pudieran parecer. Pasaba dos veces: a la ida, a las diez o las once de la mañana; y a la vuelta, a las cuatro o las cinco de la tarde. Nunca se detenía exactamente en la estación, sino un poco más adelante, casi en el patio de mi casa. Maringo B., el conductor, era amigo de mi familia y siempre bajaba a beber un jarro de café. Gracias a Maringo B., podía realizar yo, totalmente solo y a gusto, aquellos viajes hasta la laguna en busca del güin para mis jaulas. Maringo B. les daba la tranquilidad de un viaje sin tropiezo.

Debo reconocer, con toda humildad, que en mi pueblo (e incluyo muchos pueblos de los alrededores) nadie hacía las jaulas como yo. Lo había aprendido de mi abuelo, y lo había aprendido bien. Qué digo bien: extraordinariamente bien. Incluso mejor que mi abuelo, si iba a hacer caso a lo que decían cuantos lo conocieron. En mis manos, el güin no tenía misterio. Es preciso que sea sincero y reconozca que nunca he vuelto a ver jaulas para pájaros como las mías. También es cierto que ya casi no existen, es un arte perdido, como muchas otras cosas que desaparecen de este mundo despreocupado, vertiginoso y poco aplicado en el que vamos viviendo. Como todo arte, aquel de hacer jaulas no solo tenía que ver con la habilidad de mis manos, sino también con una mezcla de zozobra y serenidad, de segura incertidumbre, con mi obstinada paciencia, con los desasosiegos de mi razón y los equilibrios de mi imaginación. En cualquier caso, lo sé, eran construcciones admirables. Hasta fastuosas. Se alzaban con primor, casi por milagro. Pequeños alcázares para sinsontes, tomeguines, canarios y jilgueros. Palacios que primero «veía» con los ojos cerrados, siempre acostado sobre las baldosas frías del suelo de mi casa o sobre la hierba húmeda, junto al brocal del pozo ciego, y que más tarde mis manos se encargaban de convertir en algo tangible, manejando, con pericia que a mí mismo sorprendía, las dóciles varillas de güin.

En cuanto a lo que llamábamos pomposamente «la laguna»... Nada, ninguna laguna, un pequeño charco sin nombre, cercano a la laguna verdadera, la de Ariguanabo, donde encontraba el mejor güin, el más empinado, duradero y manso que haya vuelto a encontrar nunca.

Por lo general, el tren iba repleto de familias endomingadas que viajaban de un pueblo a otro, a reunirse con otras familias, a comer, beber, a dar gracias y celebrar el día de descanso. Me conocían, me saludaban. Cuando llegábamos al crucero de la finca El Anón, Maringo B. disminuía la marcha del tren y me decía adiós con su gorra gris de ferroviario. Yo me lanzaba jubiloso al camino rojo, con mi morral al hombro. Las familias también me decían adiós, con la deliciosa melancolía que suelen provocar los domingos, mucho más cuando se mezclan con los trenes. Agitaba mis brazos con la extraña fruición que suele provocar saltar de un tren, un domingo cualquiera, en medio del campo. «Adiós, adiós», gritaba. Y seguía por un sendero que solo Igor y yo conocíamos, abierto por entre el monte no demasiado intrincado. Sendero seguramente desbrozado por nosotros mismos, y que bajaba, entre zarzas, aromas, en suave declive hasta la laguna cubierta de malanguetas, hostigada por aquellas pequeñas y enhiestas cañas que llamábamos güin. Me acercaba y el agua de la laguna se sentía en la piel. El sudor no era sudor, sino un presagio. En medio del silencio autoritario del monte, se escuchaba un rasgarse de hojas, el salto de algún sapo, un aguacate demasiado tierno, demasiado verde, que el viento lanzaba sobre los falsos nenúfares. Y el aroma del agua llegaba con la misma intensidad que tenía aquel otro aroma de los aguaceros que se desplomaban en septiembre sobre la tierra seca y ávida de ciclones. Y yo advertía el sabor dulzón, dichoso, que humedecía mis labios.

Solía sentarme en el tronco caído de una palma. Había que entrar en la respiración de aquella laguna antes de comenzar a cortar el güin. Ante todo, se hacía preciso permitir que el silencio penetrara en uno con toda dignidad, y, por supuesto, había que conocer con precisión el modo justo de cortar las pequeñas cañas. No era algo que cualquiera estuviera en la capacidad de hacer. Si se cortaba mal, se secaba mal, perdía su solidez, se doblaba como un tallo muerto, y dejaba de ser útil, para jaulas o para cualquier otra cosa. Me sentaba, además, a esperar que Igor llegara desde El Cayo La Rosa, donde pasaba los fines de semana, en casa de sus abuelos. Venía andando, o corriendo, porque mi amigo no andaba, corría siempre, y para eso tenía las piernas más poderosas que yo hubiera visto. Además, hasta la laguna no existían, desde ningún punto, caminos indulgentes para los carromatos o las bicicletas. En la tarde, con los güines necesarios para el trabajo de la semana, sí que nos íbamos juntos hasta el crucero de El Anón, y esperábamos a que pasara el tren con Maringo B. y su gorra gris, y nos sentábamos satisfechos entre las familias que regresaban con las bolsas llenas de mangos, y un cansancio que nada tenía que ver con el de cada día, que era el agobio jocoso de los sillones, las bromas, las risas, las comidas, las cervezas, los rones y los interminables juegos de dominó.

2

Ese domingo de enero, sin embargo, en el que yo cumplía (por fin) los dieciséis años, sucedieron cosas fuera de lo habitual. Como es lógico, no fui capaz de darme cuenta entonces. El presente, muchas veces, cobra su forma definitiva en el pasado, de manera que solo ahora, al cabo de tantos años, tengo la certeza de que no habíamos despertado a un día cualquiera. Aunque ahora mismo continúo sin la certeza de saber si cuanto aconteció tuvo o no relación con el pequeñísimo acontecimiento de mi vida. Pequeños detalles, diría yo, pequeños anuncios, tuvieron lugar desde temprano, como que Maringo B., por ejemplo, no se bajara a tomar el café, y dejara, con evidente descortesía, que mi madre fuera con el jarro hasta la locomotora. Los vi hablando por lo bajo, con una concentración que me pareció intranquila. Mi padre, que venía de los campos, tenía la ropa seca a pesar de la llovizna. Tampoco traía el machete al cinto. Se unió un instante a mi madre, y vi que hablaba con el maquinista con idéntico cuidado. Además, el tren iba vacío. Bueno, casi vacío. Había un afilador de tijeras sentado en un alejado asiento del último vagón. Cuando me acerqué a él para sentarme en una butaca lateral, vi que era un negro viejo, de edad incierta. Como todos los negros de pelo blanco y cuerpo macilento, también este podía haber cumplido lo mismo setenta que cien años. Vestía una camiseta blanca, sin mangas, con cuello de botones dorados, y un pantalón de lino doblado hasta media pierna. Me llamó la atención la ropa limpia, extraordinariamente limpia, de un blanco impecable, y que desprendiera incluso un aroma fresco, a flores, a vetiver, que llegaba hasta mí con más fuerza que el olor de los falsos laureles mojados por la llovizna. Aquella ropa aseada desentonaba con los pies descalzos, como cueros endurecidos y cubiertos de tierra. A su lado, un estropeado abanico de guano tejido, una pequeña bolsa y la gran rueca azul, estructurada y provista de manivelas, que es, junto con la zampoña, el instrumento inevitable de los afiladores de tijera. No respondió al saludo que le hice con la mano. No se movió. Ni siquiera pestañeó. Al cabo de unos segundos me atreví a mirarlo de frente y adiviné que tenía los ojos opacos, borrados y sin pupilas, como si hubieran sido creados con una mezcla de cristales y cenizas.

Cuando estuvimos en el cruce de El Anón, el tren disminuyó su marcha. Maringo B. no me saludó con su gorra gris. Bajé del tren con una sensación difícil de definir, como si cuanto estuviera haciendo en el domingo de mi dieciséis cumpleaños fuera habitual y al propio tiempo aconteciera por primera vez. El camino hasta la laguna, debo reconocerlo, era el mismo que de costumbre, más húmedo, más verde, menos sofocante, aunque con idénticas zarzas y aromas, idéntica algarabía de gorriones y pericos, y la profecía inevitable del agua y sus falsos nenúfares, y el olor a tierra que tanto me gustaba. Me senté en el tronco de la palma caída. Algo me decía que debía esperar durante más tiempo la llegada de Igor, así como el momento preciso de cortar los güines.

Igor llegó pasado el mediodía, con aire cansado y triste. Ignoro si «cansado y triste» sean las palabras adecuadas. En cualquier caso puedo asegurar que no era el Igor que yo conocía y necesitaba. Aquel sonreía siempre, era fuerte, impaciente, animoso, dispuesto a cualquier cosa que significara «entrar en acción». Tenía dos años más que yo y me hacía ver la vida a través de su euforia y de su fuerza. Y es que a pesar de sus dieciocho años, Igor era un hombrón alto, blanco, casi rubio, construido como con cables de acero. Se descubría una contradicción entre el cuerpo poderoso y la mirada mansa, clara, jovial de los ojos verdosos, que parecían haber vivido mucho. No conocía el desánimo. Y sobre todo, cortaba el güin como nadie, si bien carecía de la paciencia necesaria como para crear algo con aquellos tallos amarillentos. Miraba mis jaulas con el asombro con que se miran los actos de magia. Yo admiraba su seguridad, su bondad y su fuerza. Él admiraba mi concentración, mi entrega y mi destreza. Pero el Igor que llegó aquel domingo tenía algo distante. Sonreía, como siempre, y no sonreía como siempre. Sus ojos se habían oscurecido, habían perdido, en cierto modo, el júbilo benévolo o la sabiduría. Hasta su cuerpo prepotente mostraba un cansancio poco común. Le pregunté qué le pasaba.

Dejó que transcurriera un largo silencio antes de responder que no sabía, que en efecto algo debía sucederle, ignoraba qué, tal vez tuviera que ver con el día, con la llovizna, con el camino enfangado, o con que no había desayunado, no sabía, de verdad, no lo sabía. Le recordé que era mi cumpleaños. Se lanzó sobre mí sonriendo, fingiendo que me golpeaba, y hasta aquel juego, tan habitual, carecía de fuerza, de autenticidad. Quedamos luego acostados sobre la hierba, sin hablar, mirando el cielo gris o rojizo, las ramas de los aralejos, la fragilidad de la lluvia cuyas gotas desaparecían entre las hojas de un verde casi negro.

3

Me desnudé. Dije que iba a bañarme en la laguna. No era algo que hiciera a menudo, eso de bañarme (palabra inadecuada) en las aguas siempre frías y siempre sucias de la laguna. No me daba gusto entrar en aquel charco. Creo que solo me había sumergido en él una o dos veces. Y en esas pocas ocasiones el agua no había ascendido más allá de mis rodillas. Igor sí solía hacerlo. Cada domingo se desnudaba y entraba al agua, y cuando salía, más bien parecía que hubiera llegado del centro de la tierra: su piel estaba opaca, cubierta de lodo, de hojas, de tallos negros que simulaban sanguijuelas, y con un fuerte olor a musgos y a negrura que me provocaba una turbación desconocida. Y es que no bien se apartaban los falsos nenúfares y se ponían los pies en el fondo, este parecía agitarse, o mejor dicho se agitaba de verdad, y la superficie, terrosa de por sí, se confundía con el fondo. Me daba mala impresión que alguna parte de mi cuerpo, en este caso mis pies, mis piernas, entraran en contacto con algo oculto. Me incomodaba que mis ojos no pudieran controlar lo que sucedía debajo de mis muslos. Siempre temí, y temo, las cosas que no soy capaz de ver.

Entré en el agua con aprensión y con frío. La desnudez no resultaba apropiada para el día de enero. El agua, la tierra con apariencia de agua que es una laguna, estaba aún más sucia que de costumbre, y se hubiera dicho que una capa de hielo la cubría. Mis pies se hundieron en el fango. Experimentaron el contacto desagradable del fango, de las piedras escurridizas, de las raíces de las malanguetas. Caminé hacia el centro de la laguna como si apartara un obstáculo pesado. Por un instante, el agua perdía su inmovilidad. Solo se alteraba a mi alrededor, en pequeñísimas ondas que desaparecían de inmediato. Desde el fondo ascendía el olor a musgo, a cueva, a oscuridad, a hierbas podridas. Hubiera jurado que los falsos nenúfares se apartaban a mi paso. Sentí enormes piedras que caían al agua y supuse que eran las ranas y los sapos. Sabía que allí no se podía nadar y lo intenté. Mi cuerpo se hundió entre las hojas verdes. Atiné a cerrar los ojos. Volví a la superficie con la inevitable sensación de que no salía del agua sino de la tierra. Respiré profundo. Miré a lo alto. Me pareció que veía pasar un pájaro blanco. Supuse que debía regresar a la orilla. Por el contrario, avancé un poco más. El agua cubrió mi pecho. Mis ojos estuvieron al nivel de las malanguetas. No carecía de belleza aquella superficie verde, donde se abrían flores blancas, cercada por los güines desafiantes de la orilla. Me di cuenta de que desde allí el mundo se veía diferente, como si estuviera cubierto por una bóveda. Llamé. Quise escuchar un eco que no se produjo. De las ramas altas de los aralejos cayeron lentas hojas negras. Salvo eso y el lejano, breve ladrido de un perro, hubiera dicho que me hallaba en un paisaje pintado, que era la figura detenida de un lienzo gigantesco. Creo que en ese instante imaginé cosas, demasiadas cosas que ya no puedo enumerar. Imaginé, por ejemplo, una jaula redonda, rematada por una ancha cúpula de güines verdes. Imaginé una música para esa jaula, una música nueva para mí. Imaginé un pájaro plateado, de metal, inmóvil, por supuesto, y con las alas abiertas. Imaginé que la jaula se hallaba en una terraza de cristales, y que afuera, el paisaje se veía blanco, blanco de nieve, o como yo imaginaba entonces la blancura y la nieve. Imaginé a Igor allí, en aquella terraza, junto a mí. Cerré los ojos con la esperanza de lograr que lo imaginado no se deshiciera. Cerrar los ojos me obligó a dar un paso que no fue un paso. El agua de las lagunas no permite pasos en falso. No fue, pues, un paso, sino un desplazamiento equivocado. Como si anduviera por el aire, por el cielo. Las lagunas se parecen al aire, al cielo. Perdí el fondo. Desapareció la sensación resbaladiza de las piedras, las hierbas del fondo. Sin abrir los ojos, agité los pies para mantenerme a flote. Como no estaba en el mar, ni en la tierra, fue otro movimiento infructuoso. Supe que algo me atraía desde el fondo. Al tratar de negar esa atracción, desesperada e instintivamente, los pies encontraron raíces, lianas, los tallos largos de los falsos nenúfares. Algo se anudó a mi pierna izquierda y empujó hacia abajo. La incertidumbre, o mejor dicho el miedo. Tal vez abrí los ojos. Tal vez solo descubrí una confusión y abrí los brazos. Como en el cielo, como si intentara volar. Y, claro, así como no hubiera podido volar en el cielo, tampoco podía en la laguna, y en ningún otro lugar. Son cosas que se aprenden rápido, que incluso se saben sin que se aprendan. El agua me vencía con rapidez, que era, al propio tiempo, de una inusitada lentitud. Y no era sumergirse en el agua, claro está, sino en el fango. Estoy seguro de que me sorprendió cómo dejaba de transcurrir el tiempo. Estoy seguro de que dejé de respirar durante aquella eternidad.

Los brazos me alzaron, me sostuvieron por los sobacos, me llevaron a los güines de la orilla. Cuando abrí los ojos con un largo suspiro, Igor estaba sobre mí, hundía mi abdomen, abría mis brazos, pegaba su boca a la mía, intentando trasmitirme la vitalidad de su aliento. Al ver que yo reaccionaba, quedó inmóvil, en posición de acecho, los ojos verdosos, muy pegados a los míos, abiertos por el asombro, volvieron a adquirir poco a poco la jovialidad y la sabiduría. Suspiró a su vez, sonrió de un modo que no olvidaré. Una sonrisa a la que faltaba poco para abrirse en una franca carcajada. Profirió unas cuantas maldiciones y me abrazó y volvió a pegar sus labios a los míos para darme su aliento. Lo apreté contra mí y cerré los ojos. Al cabo de no sé cuánto tiempo, se irguió de un salto. Desde mi posición yaciente, lo vi como lo que en ese momento era, un gigante. Los dos estábamos cubiertos de yerbas y barro. Cualquiera que hubiera observado desde fuera el paisaje de la laguna no nos habría descubierto, hasta tal punto nos confundíamos el uno con el otro, y con cuanto nos rodeaba, vegetación, agua, tierra, de las que incluso ahora yo conocía definitivamente el sabor. Del mismo modo que tenía en mí, en mi aliento, el aliento de Igor, la saliva de Igor, y eso, lo confieso, me hizo extraordinariamente feliz.

Nos vestimos con lentitud, sin mirarnos, casi sin darnos cuenta de lo que hacíamos. No supe si continuaba lloviznando; tampoco me importaba. Como era de esperar, no recogimos el güin de mis jaulas. Nos sentamos uno al lado del otro en el tronco caído de la palma, y nos agarramos las manos. Creo que mirábamos las malanguetas, los falsos nenúfares y creo que nada mirábamos. O al menos nada que estuviera allí, en el charco al que, con tanto entusiasmo, llamábamos «la laguna».

4

Regresamos al pueblo andando, mejor dicho: haciendo equilibrio sobre los rieles, como un par de niños. Mi brazo derecho alzado se enlazó al brazo izquierdo y también alzado de Igor, y, a pesar de que mi amigo era más alto, de extremidades más desarrolladas, hallamos de alguna manera la proporción justa para mantenernos estables sobre los raíles y recorrer el largo camino hasta la casa. Íbamos cantando, susurrando: «Dame tu inmóvil placidez, derrama tu agua de paz sobre la fiera llama». Mucho antes de aproximarnos a los primeros corrales, ya había caído la noche. Una noche rápida, fría, sin lunas y sin estrellas. El viento sacudía con fuerza las ramas de los aralejos. No llovía, o tal vez sí, no puedo asegurarlo. Es probable que la llovizna se hubiera convertido en la neblina que borraba los perfiles de las cosas. Entramos bastante tarde en las primeras calles. Las farolas estaban apagadas. Oscuro como la noche, el pueblo formaba parte de la noche, compartían idéntico silencio. Sabíamos que no era un pueblo abandonado porque escuchamos el llanto de un niño y una voz de mujer que intentaba calmarlo, una canción de cuna. Además del canto de los gallos, aquellos gallos enloquecidos del pueblo, que cantaban a cualquier hora. En la puerta de mi casa, Igor pasó su mano por mi cintura, me atrajo hacia sí. No me besó, pero sentí su aliento y eso fue mejor. Su aliento y el olor de su cuerpo, su calor. Con tanta oscuridad, no pude ver la sabiduría de sus ojos verdosos. Sin embargo, su mano en mi cabeza reveló cuanto había en ellos, todo lo que hubiera querido decir y no dijo. Creo que tampoco sonrió. Mi recuerdo, en cambio, lo ve sonriente. «Mañana nos vemos», dijo. Solo eso. Tampoco es que hiciera falta más. Entré en mi casa sin hacer ruido, como un fantasma. Supongo que mis padres dormían. La única vida allí parecía proceder de la llama de una vela encendida ante la imagen de San Martín de Porres. Me acosté en el suelo, sin desvestirme. Las baldosas estaban frías. La casa olía a flores, pero mi ropa, mi cuerpo olían a tierra, a cuevas, a musgos, a raíces. Quise dormir. Aunque con aquel júbilo parecía imposible que pudiera cerrar los ojos.

Nació en La Habana en 1983. Licenciado en Educación Musical, es un escritor y cineasta que ha obtenido, entre otros, el Primer Premio en el XXIX Encuentro Debate Provincial de Talleres Literarios por el cuento *A la Equis le falta un palito* (2005) y por la obra *El Alma al aire* (2005), el Premio AHS al mejor texto experimental en el Con-

Efraín Galindo

curso Nacional de Minicuentos El Dinosaurio por el relato *El Novio* (2004), y el Premio En Nuestro Tiempo en el Concurso Ernest Hemingway por el cuento *Crónica del niño triste en la cima de un cabo* (2006). Ha participado en numerosos festivales de arte y cine tanto dentro como fuera de Cuba.

Cinco razones para querer a Reina

Reina es negra, eso lo dice todo, incluso la historia podría terminarse en esa palabra, dejando un vacío de vocablos y colores. Negra como el cielo, los pájaros y los árboles. Vive en un pueblo de viejos, casi todos los jóvenes se fueron porque buscaban otros colores, es muy triste despertar en las mañanas y encontrar que el cielo está más negro que ayer, aunque los pájaros cantan, son negros, y qué me dicen de las sombras oscuras de los árboles negros, todo es triste, por eso los jóvenes decidieron abandonar el pueblo y abrazar el camino, hasta que el cielo negro termine y comience otro color. Por desgracia Reina es la única negra del pueblo, por supuesto que ha pensado huir también, pero está vieja, tan vieja que ni ella misma sabe cuán vieja es. Reina ya está acostumbrada a que los demás la traten como a una negra, la justificación es que es un pueblo de ancianos peleones, que desembocan su ira con el color de su piel, y la culpan de que todo sea oscuro, hasta que Reina no se largue el cielo no cobrará el color de antes. Lo cierto es que ya nadie recuerda cómo eran antes las cosas, simplemente el cielo se fue volviendo negro, de poquito en poquito. Reina vive sola, su casa es alegre con olor a tierra y a frijoles. Por las tardes enciende el radio y asomada en la ventana escucha la novela de las tres, el aparato a veces no quiere funcionar pero ella lo tira contra el suelo y le da unas cuantas patadas, y lo lanza contra la pared con varias malas palabras y entonces el radio deja de funcionar finalmente hasta el otro día, eso me pasa por negra. Una tarde Leonarda la vino a visitar y la encontró triste, enseguida buscó el radio y comenzó a trastearlo, de pronto el narrador de la novela se escuchó y Reina saltó de la alegría. ¿Cómo lo hiciste? No sé, todo es cuestión de unir cables...

A Leonarda no le gustan las novelas, uno no solo se entretiene sino que es parte de ese mundo, de esos personajes, una vez se embulló con una y terminó por obstinarse de la vida, del cielo negro, de los pájaros y de los árboles, cuando la novela llegó a su capítulo final, decidió escribir más episodios, donde los personajes seguían con otros conflictos y con eso se mantuvo motivada hasta que se casó y tuvo a su hijo. Al marido lo mordió un cerdo venenoso, y murió a los tres días de la mordida, su hijo mató al cerdo, y luego de la muerte del padre decidió marcharse, para encontrar un cielo de otro color. Leonarda se quedó sola, abandonada en su cabaña que se esconde en la colina, donde los pájaros cantan sin parar. Cuando terminó la novela, Leonarda sacó sus cartas y jugaron hasta el anochecer. Ambas comieron frijoles en silencio, y Leonarda fregó la loza antes de que Reina apagara el radio y se sentara en el portal para pensar. A veces quisiera irme, como todos los demás, dijo Leonarda, se sentó al lado de Reina diciendo todo aquello sin mirarla. ¿No te sientes bien aquí? No es eso, ni siquiera estoy aburrida, es que me siento sola, si al menos viviera con alguien. A veces yo también tengo deseos de irme, no resisto la idea de ser la única negra en este pueblo. Si pensaras un poquito más te darías cuenta de que tu lugar es este, aquí todo es negro, la gente que es diferente a ti es la que sobra. A mí no me molesta tu color. ¿De veras? Tú sí eres mi amiga. No, Reina, perdóname, pero yo no soy tu amiga. ¿No? Pero si tú me vienes a visitar, y conversamos mucho, y hasta comemos juntas, ¿eso no es amistad?, nunca hemos tenido ninguna discusión. ¿Hay en mí algo que te disgusta? No, al contrario, me caes bien, lo que pasa es que yo quiero irme de este pueblo, pero no quiero hacerlo sola, quisiera irme contigo, pero tú no quieres, por eso no te considero mi amiga, los amigos nunca se separan, y si yo me voy, jamás te volveré a ver. ¿Entiendes? Por eso no te considero mi amiga. ¿Pero te volviste loca, Leonarda? ¿Qué hacen un par de viejas tiradas en el camino, buscando un cielo de otro color? Prefiero morirme aquí donde todos me odian que en cualquier lugar, con hambre, cansancio, y un montón de necesidades. Aquí te vas a morir sola, Reina, igual que yo.

Hoy se termina la novela, el radio volvió a fastidiarse, Reina está ansiosa, se ha cagado en su madre más de diez veces, no ha querido tirarlo porque tiene miedo de que no funcione más. Trató de unir cables, y nada, ni una señal. Comienza a lamentarse que no debió nacer, que por qué es tan infeliz, que lo único que quiere en esta vida es escuchar el último capítulo, y después morirse, que si se queda sin saber el final de la novela se va a suicidar. Reina llora, han pasado quince minutos de novela, decidió salir de la casa y echar a correr lejos. Después se cansó y le faltaba el aire y le dolía el pecho y el corazón le latía más rápido que de costumbre, la muerte se le iluminó en el rostro y murió. Eres una vieja dramática, Reina, las novelas terminan por volver loca a una, si no voy a tu casa y te encuentro tirada en el camino, te mueres de verdad. No te rías Leonarda, no puedes entenderme, todos estos meses no me he perdido un capítulo, todo este tiempo he esperado el final para que la vida me recompense de esta manera. La vida es mucho más complicada que el capítulo final de una novela, Reina, todo es mentira. ¿Qué sabes tú? Nada más piensas en irte, eres demasiado egoísta, además tú no eres mi amiga, no tienes derecho a decirme vieja trágica, prefiero que me digas negra antes que trágica. Dije dramática. ¿No es lo mismo? Esa noche fueron a casa de Carlota para que le contara el final de la novela a Reina. Carlota y Leonarda son viejas amigas, Carlota sí es amiga de Leonarda porque se conocen de muchos años, desde niñas, y ella también se quiere ir como todo el mundo. Reina trató de que la conversación entre las dos no se dilatara y esta terminara por contarle de una vez el final. ¿Es tu amiga? Pregunta Carlota. No, mi vecina. El cerdo mordió al marido de la descarada, y este cayó al suelo, rabiando del dolor. Poco después el médico le dijo que su marido no se salvaría, el cerdo era venenoso. La descarada sufrió cantidad, estuvo llorando sin cesar en el tiempo que el hombre agonizaba, y entonces fue que ella le dijo que pidiera su último deseo. ¿Adivinen lo que pidió el hombre? Reina y Leonarda no se dirigieron la palabra, durante el camino. Decepcionada, venir de tan lejos para escuchar tales barbaridades, eso tu amiga lo inventó, es injusto que una novela pueda terminar tan mal. Leonarda interrumpió a Reina para decir que lo más importante es que está violando una ley, el narrador de la historia dijo que ninguna de la dos durante el camino se iban a dirigir una palabra, y tú no has hecho más que hablar. A Reina le molestan otras cosas, eso de que Leonarda no la considere su amiga es muy fuerte y doloroso, le da vergüenza que la gente no las vea como amigas, y sí como vecinas, lo que sucede es que Leonarda se avergüenza porque ella es negra, y no quiere que la gente del pueblo la odie por eso. No vengas más a mi casa, Leonarda. Me siento incómoda, además yo tampoco te considero mi amiga. Reina, no compliques las cosas, estás así porque no te gustó el final de la novela. No es por eso, lo que sucede es que yo sí te considero mi amiga, no podemos estar en líneas diferentes. Leonarda sonrió y le dio la espalda a Reina sin decir palabra. Cuando quieras saber de mí estaré en mi cabaña, en la colina donde los pájaros no dejan de cantar. El marido agonizante le pidió a su mujer que le sacara la pinga y se la masturbara. La descarada no pudo soltar una palabra. ¡Pero estás loco! Lo que me quedan son segundos de vida, quiero morir del orgasmo. La mujer primero le pasó la lengua, descubrió la cabeza roja y sacó sus tetas para cubrir la pinga con ellas, y agitarla. La descarada no hacía más que llorar, la muerte se reflejaba en el rostro del marido, que cerraba los ojos y soltaba quejidos de satisfacción. Chúpamela, decía el marido en un susurro. No te mueras mi amor, sin ti no soy nada. Las manos y las tetas de la descarada se llenaron de semen, el esposo murió con los ojos abiertos y un aliento a orgasmo que le salía por la boca. La descarada le cerró los ojos, y continuó llorando hasta el final. Reina se asomó a la ventana, afuera llovía, ahora no volverá jamás a escuchar una novela en lo que le queda de vida. Se siente sola, una vez una mujer en el pueblo le dijo que se iba a quedar así, porque los negros se mueren solos, negros y solos sin que alguien ilumine con una vela la muerte que se te viene de pronto sobre el lecho. Abrió la sombrilla y abrazó el camino en medio de la lluvia. Leonarda ya dormía, pero se alegró mucho de que Reina fuera a llegarse a su cabaña con los truenos y el aguacero. ¿No pudiste esperar a que escampara? No, me sentía sola, la soledad me estaba aterrando. Lo que pasa es que piensas mucho, Reina, uno no puede estar pensando cosas tristes asomada en una ventana. Le dio algo para que se secara y encendió otra vela para que aumentara la luz. Yo te quiero mucho, Leo. Yo también te quiero, Reina, por eso es que no puedo ser tu amiga. Ya no me importa que no quieras ser mi amiga. ¿Entonces cuándo nos vamos de este pueblo? Cuando quieras. Leonarda apagó una vela, Reina la otra, en medio de la oscuridad se acostaron juntas en la cama y se acariciaron hasta el otro día. Primera razón: quiero casarme contigo enfrente de todos, tener el privilegio de que nos odien y nos deseen la muerte, la gente va aplaudir cuando nos vayamos, harán una fiesta, justo lo que necesitamos, en una partida que será como en la luna de miel, que todos aplaudan deseándonos una noche apasionada llena de amor. Segunda razón: el camino será de nosotras, nuestros pasos serán lentos, una velará por la otra, si alguna en cualquier momento se siente sola, la otra abrirá sus brazos y producirá calor para que la soledad se derrita y poder así continuar el camino que nos queda. Tercera razón: no importa si el cielo cambia de color o no, lo importante es que el camino nunca termine, ni los pájaros dejen de cantar, y que tampoco Reina deje de decir malas palabras cuando las cosas no salen como se espera. Cuarta razón: Leonarda se subirá a un árbol en busca de mangos negros, Reina estará debajo tratando de que si Leo cae, termine encima de ella, después juntas irán al lago y se bañarán en la orilla, desnudas, tetas contra tetas, sexo contra sexo, barrigas contra barrigas. Quinta razón: si vemos el final del sendero a lo lejos, aunque quieras regresar, y tengas miedo de enfrentar el final, porque los finales pueden ser decepcionantes, volveremos al comienzo del camino. Y te prometo que emprenderemos de nuevo hacia el final del mismo, hasta que se termine y la muerte nos separe abrazadas, entonces el cielo cambiará de color, a negro, y solo bastará con esa palabra para que la historia termine.

Nació en Pinar del Río en 1974. Poetisa y narradora, es miembro de la UNEAC. En 2006, recibió el Premio UNEAC de Novela Cirilo Villaverde por la obra *La burbuja,* por la que también consiguió el Premio Anual de la Crítica Literaria en 2007. Ha publicado los libros *Con los pies en las nubes* (1998), por el que obtuvo el Gran Premio Vitral de Narrativa, *Cantares de*

Gleyvis Coro

Novo-hem (1999), *Escribir en la piedra* (2000, Premio Alcorta de Poesía), *Poemas Briosos* (2003), *Aguardando al guardabosque* (2006) y *Jaulas* (2009). Sus textos literarios han aparecido en importantes antologías cubanas y extranjeras y ha publicado artículos de opinión en las principales revistas y periódicos de su país.

El frío quema parecido al fuego

A Mailín, con todo mi amor

Vamos por todo Galiano y mis ganas urgentes de orinar no tienen el menor significado para Marcelo. Galiano es una calle nefasta —ha sufrido un deterioro feroz—, Marcelo es mi marido hipotético. No porque no exista, Marcelo existe. Lo hipotético le viene de la relación que ha establecido conmigo, que es muy dudosa.

Y sin embargo, me tiene toda, lo que quiera de mí lo consigue. Prueba es que se empecinó en venir a buscar no sé qué marca de loción o crema y aunque estaba molida de cansancio accedí, porque lo amo.

Él anda limpio y rasurado siempre, oloroso, sin una gota de sudor encima, que es lo que más nos gusta a su mujer y a mí y, además, pide las cosas de un modo tan inteligente, se conduce con tal donaire, que en medio de este clima horrible, donde prolifera tanto hombre vulgar y pegajoso, tener a Marcelo es un lujo. Y en esta misma calle, también nefasta para el comercio —aunque esté repleta de tiendas y bazarcitos—, es un privilegio de la mejor marca caminar junto a él.

Yo, en cambio, me conduzco mal, sudo como una morsa y meo más que la boquilla de una fuente. Mi meoncita, me decía Marcelo al principio, con lascivia, porque creía que mis ganas de orinar eran falsas, estratagemas que ideaba para meternos juntos en el primer baño de hombres que apareciera y acariciarnos bien rico al amparo de los sitios más recoletos. Y así era en parte, pero con los años Marcelo comprendió que mis ganas de mear eran también auténticas. Y le fue luciendo cada vez menos estimulante la propuesta, hasta llegar al punto en que estamos ahora, en la calle Galiano: él completamente desentendido de mí, yo meándome de verdad y, encima, deseándolo como nunca.

Porque de tanto olor a limpio y a perfume caro, lo que no debía ocurrir —enamorarme—, sucedió para mi desgracia y ahora no sé cómo disimular lo vulnerable que me he quedado, lo mucho que me desgarra su abandono progresivo.

Lo peor es saber que no soy la causante directa de su desatención amorosa, pues no es que Marcelo me desprecie porque no le gusto o algo parecido, sino que el rechazo se debe a razones puramente externas, que nos desbordan a ambos y que se ubican, todas, en los urinarios públicos. En cada urinario apestoso, clausurado o a punto de clausurarse, en la carencia nacional de baños públicos para hombres está nuestro dilema. Y es grave porque, por lo que se ve, no tiene solución.

Yo he estado a punto de escribirle una carta anónima a algún ministro. Si no he procedido es porque me faltan datos. Marcelo opina que eso no resolverá nada y que allá arriba, cuando la reciban, hasta con el papel del sobre se van a limpiar el culo. Pero lo que diga Marcelo, en ese sentido, me tiene sin cuidado. Si no he enviado la carta es porque no acabo de dilucidar cuál organismo de la Administración del Estado es el responsable del funcionamiento de los baños públicos y cada vez que lo planteo en las asambleas de vecinos, meras risitas con ninguna solución es lo que recibo por respuesta; como si el problema de los baños estuviera ubicado en el limbo, como si no existiera un responsable directo, como si mear —o cagar— no fuera importante.

Cualquiera pensaría que estoy tan enojada porque necesito utilizar el inodoro con frecuencia y porque, además, tengo una relación de pareja que depende en gran medida de los urinarios. Y es verdad, pero eso no quita el problema, ni lo convierte en un caso aislado. De gente con ganas de cagar u orinar, o de solo masturbarse, están llenas las calles de este país. Y de mujeres como la de Marcelo están repletas las casas de vivienda. Mujeres intransigentes que nos hacen una guerra cuatrera y se creen que la ganan cuando, tan víctimas como victimarias, no admiten la entrada colateral del amor en sus casas.

Meternos en la casa de Marcelo a escondidas fue descartado desde que el hijo mayor de ambos nos encontró desnudos en el cuarto de desahogo y le fue con el chisme a la madre. Desde entonces —tan difícil como está, debido al prejuicio, el asunto de los alquileres—, noqueada por el terrible funcionamiento del sistema nacional de baños públicos, nuestra relación ha pasado a ser una hipótesis y Marcelo una especie de estrella que se atenúa mientras yo casi me he convertido en una Hermana de la Caridad para él, sin que a nadie —ni siquiera a mi marido hipotético— le importe mucho, pues solo quien ha sufrido el dolor de la pérdida paulatina de un amor puede entender la verdadera magnitud del sufrimiento que me aniquila. Solo quien se ha muerto de ganas por algo, lo que sea, puede comprender el malestar de no tener siquiera un sitio decente donde satisfacer tanta necesidad reprimida.

Es lo que pienso cuando un dependiente de esos que se ve que lo ha tenido todo en la vida me confirma la clausura del baño público para hombres de una de las mayores tiendas de Galiano. Y veo, allá lejos, a Marcelo —que sabe que me tiene toda— doblado sobre el cristal de una vitrina, en busca de su loción de marca y recuerdo cómo se asquea hasta la náusea cada vez que accede a entrar conmigo en uno de esos baños revueltos, puras cámaras de tufos y líquidos con sus hediondos sólidos regados por suelos y paredes. Y esto, insisto, cuando estamos de suerte, porque la mayoría de las veces ningún bendito baño aparece y ocurre como hoy y ahora, que vamos de tienda en tienda, de dependiente en dependiente, preguntando dónde hay un sitio para mear y recibiendo negativas, porque los baños o no existen o fueron clausurados y la loción de marca se les agotó ayer mismo.

Y todavía en la presente etapa de nuestra relación yo me preocupo por si la dichosa crema aparece y consuelo con dulzura a mi marido hipotético, le incito a preguntar en qué otra cadena de tiendas podemos encontrar el producto, pero mi amor, en pago, no se preocupa ni un ápice porque mi inodoro aparezca. No le importa que me mee o me reviente de las ganas de sobarle un poquito la portañuela y eso me deprime, aunque no creo que haya dejado de desearme de manera categórica porque Marcelo es un fósforo, un verdadero fósforo y yo soy la lija donde su sexo se enciende de verdad, pero es bien comprensible su parsimonia de hombre casado: solo bajo los efectos de una gran urgencia, de unas ganas de mear inmensas, o de una falta descomunal de sexo, accede uno a introducirse en un sitio que es de lo más asqueroso que hay.

Y ese es mi caso, el de la terrible premura, pero no es el caso de Marcelo que tiene su mujer, que no lo llena, pero por lo menos le soba la portañuela cada vez que él se lo pide; se la acaricia con asepsia en una cama cómoda y bienoliente, se la zafa poco a poco y aquel gorrioncito, que es mío, pero al que apenas puedo acceder tras la excesiva falta de locales, se consuela de ese modo y de otros, mucho más atrevidos, mil modos que imagino rabiosa y boquiabierta, sin acceder a ninguno.

Así me ocurre casi siempre y más ahora, que en medio de mis ganas individuales de mear y del déficit comunitario de la cabrona loción de marca, veo cómo Marcelo flirtea descaradamente con el tipo que atiende la vitrina de los cosméticos. Flirtea de un modo que va más allá de la simple relación cliente-vendedor. Se nota por las risitas y el manejo de la circunstancia, por la cercanía de los dedos sobre el vidrio, pero se nota, sobre todo, en el lomo acrecentado del gorrioncito de mi amante, ese animal que nadie como yo conoce cuando se eriza todo. Sí. La proximidad-lejanía del gorrioncito de Marcelo es algo que no he aprendido a manejar. Las ganas de mear se controlan, pero las ansias de gozar no las controla nadie. Suplicio de Tántalo lo llamaban los antiguos; lo mío no tiene nombre, no le hallo nombre a este vivir como vivo, a toda hora pendiente de aquel gorrioncito. Torturada cuando se lo veo y más torturada cuando lo imagino de las mil formas en que lo imagino. Y una hecatombe es lo que experimento cuando su gorrioncito, que es mío, se eriza de esa forma por un tipo que no soy yo.

De la cintura de Marcelo para arriba, y dentro de una de las tiendas de la nefasta calle Galiano, la cosa podría confundirse con el más ordinario evento comercial: la proximidad de los dedos, las miradas cómplices, las sonrisas seductoras son actos comunes en estos establecimientos de quinta categoría donde de un lado se halla el cliente aturdido por la ausencia del producto y del otro lado está el manipulador de los escasos frascos de crema —el dependiente— que quizás —es lo que piensa siempre el comprador— no se han agotado del todo —los frascos— y permanece alguno, oculto en una gaveta que solo el dependiente conoce. Ilusión tras la cual el comprador queda más a merced del dependiente, más aniquilado por el conflicto lejanía-proximidad del producto.

Fue lo que me dije cuando percibí la buena impresión inicial que despertó en Marcelo el tipo de la vidriera, pero la buena impresión ha bajado bruscamente de nivel, ha descendido, vertiginosa, de la cintura para abajo, se ha hecho dueña de mi gorrioncito adorado. Y ya no depende solo de la necesidad del producto-crema o loción o como demonios se llame, sino que, también para mi pesar, se ve por lo claro que el dependiente quiere ser la nueva lija donde el fósforo de Marcelo se encienda.

Dadas sus características, puede serlo. Es limpio, pulcro, hermoso y tiene libre acceso a todos los frascos de crema de marca que Marcelo pueda desear. Quizás hasta tenga una casa propia vacía, con una cama imperial vacante. Algo así como el sueño dorado de mi marido hipotético. De ahí la indisimulable erección que presenta en estos momentos. Lo conozco mejor que si lo hubiera parido. Pero es que, además, por supuesto que lo he parido. Con todo y la falta de baños ha entrado y salido de mí tantas veces como lo ha deseado, con un aprovechamiento óptimo y un uso impecable del breve camuflaje de los sanitarios, que no son la gloria ni un carajo porque, si apestan, Marcelo se repugna y si no apestan, ojo, extrema precaución, es que tienen dentro al cobrador-vigilante, un tipo de cara compungida y desagradable, siempre ávido de monedas, que de vez en cuando vacía un cubo de agua turbia y un chorrito de antiséptico en el retrete, el sujeto que más he odiado en la vida —tanto como a los dependientes ahora— y no es para menos si después de que el bendito cubículo aparece, cuando por fin lo encontramos y el icono del hombrecito encima del dintel ya nos excitó —duro como una piedra y más cercano cada vez el gorrión de Marcelo—, acabamos por darnos en las narices con el Minotauro de Creta —su olor perenne a desinfectante también repugna a Marcelo— y de nuevo la lejanía abismal de mi producto anhelado acontece y se hace mucho más perdurable mi frustración, esta tragedia que solo quien la vive sabe las dimensiones. No por gusto es tan escasa la solidaridad y tan frecuente el repudio, que tan jodidos nos tiene, para que encima venga un dependiente maricón a boicotearnos el matrimonio. Sí, el matrimonio, porque Marcelo es mío-mío-mío. A fuerza de sacrificio me lo he ganado para que me lo venga a quitar ahora un tendero de porquería.

Sí me dan ganas de molerlo a palos y mearle después encima con todas mis ganas de gozar aglutinadas, tomar de inodoro al tendero. Pero no. Debo ser astuta. Debo actuar con inteligencia y donaire, con clase.

Lo malo es que —atizada por la falta de locales y recursos, tras el fallo de la infraestructura y del comercio, ante la profunda raíz de un prejuicio más que milenario—, una suele quedarse a punto de perder la razón por completo cuando percibe cómo le sonsacan al marido delante de sus narices.

No obstante, me llamo a capítulo. Me hundo en el análisis calmado de las alternativas a ocurrir y me preparo para el enfrentamiento de lo peor: que el dependiente le facilite la compra del frasco de crema o loción a Marcelo. Eso equivaldría a mil puntos de ventaja de mi contrincante sobre mí, lo que en la carrera por puntos de la vida contemporánea, me dejaría a la zaga. No importa que haya venido arrastrándome hasta aquí, detrás de Marcelo, ni importa la de veces que he parido y vuelto a parir a mi marido hipotético. No importa que lo ame si no puedo satisfacerlo desde un punto de vista comercial. Son cosas que han cambiado definitivamente en la infraestructura del país, resquebrajamientos en la escala de valores, grietas tras las cuales y, por desgracia, vemos con mucha frecuencia cómo un frasco de loción de marca vale tanto o más que un amor de toda la vida.

Porque lo que sé muy bien —Marcelo no sería el primer marido que me abandona por asuntos económicos— es que me enfrento, con suma cautela, a la teórica embestida del conflicto, cautelosa estudio —desde la mejor hasta la más peligrosa— las villanas posibles variantes —rebaja de precio, regalito personal con cita en un lugar íntimo, cena nocturna, intercambio de favores y demás etcéteras— que del flirteo con el dependiente pudieran derivarse. Y la única solución que encuentro para evitar un cataclismo de tal orden es el hallazgo inmediato —y más que improbable— de un urinario público, un excusado, un retrete, una puñetera letrina que me ayude a desprender a Marcelo de aquel proceloso mostrador y me facilite el aprovechamiento oportuno de la marcada excitación del gorrioncito que es mío y que está loco por desbocarse dentro de alguien —desde aquí lo veo y lo presagio—, y ese alguien tengo que ser yo. Pero ¿dónde? ¿De dónde? ¿En dónde? ¿Cómo diablos saco de la nada un baño público para hombres?

Le doy vueltas y vueltas al asunto hasta que se me ocurre la pregunta decisiva, la pregunta *password* a la felicidad absoluta: ¿Los dependientes de esta tienda no mean? Y la pregunta funciona igual que un cubito de hielo en agua bomba, igual que una bocanada de aire en medio del calor más lancinante. Y se apoya en otras preguntas asesoras: ¿Son de fieltro estos hombres y mujeres? ¿No cagan igual que todos los humanos, por mucha loción que se unten?

Con la obvia respuesta filtrándose por todos lados —claro que cagan y mean— reverdece mi esperanza. Confío en que, detrás de esas paredes aparentemente ingenuas, debe haber un baño, ya no público, por supuesto —y mejor que no lo sea—, sino un inodoro de corte más particular, más capitalista, exclusivo para dependientes, todo ambientado con sahumerios de marcas reconocidas. El local ideal, soñado, anhelado por Marcelo —como con Kola Loka pegado todavía al mostrador de los cosméticos— y anhelado también por mí, que no soy boba, ni guerrillera, ni discípula de Diógenes, ni Hermana de la Caridad ni un carajo, que estoy siempre a punto de escribirle un anónimo a quien sea porque no tengo esa facilidad de Marcelo que en el primer recoveco que aparece se voltea, se saca el gorrioncito y allá va el chorro de orine, pis, pis. No, mi gorrioncito no es de esos. Y en nombre de todas mis aspiraciones y de las inmensas ganas de mear que tengo, me escurro, rauda, hacia la meta, evado la vigilancia de uno, de dos y hasta de tres de esos dependientes que se ve que lo han tenido todo en la vida y me cuelo al fin por una de las puertas prohibidas, coronadas con el pedante letrerito de *Acceso denegado*. Cagándome en la advertencia la traspaso y me encuentro de repente como en otra dimensión, en un local con aspecto de museo y almacén, repleto de cajas de zapatos y confecciones textiles y cerámicas y enseres de cocina y cien cosas más, pero ningún baño. Por lo menos ninguno hasta donde alcanzo a ver, que no es mucho, porque debo ocultarme enseguida detrás de un estante con juguetes multicolores.

Me escondo porque he descubierto la presencia de otro hombre allá en el fondo, vestido con el uniforme de la tienda. Otro Minotauro de Creta, pero en una versión más civilizada. La presencia de este tipo echa por tierra mis planes de arrastrar a Marcelo hasta esta nueva dimensión, hacia esta nueva locura. De puro milagro no me ha visto entrar el tipo y seguramente no podré salir sin que me vea. Para colmo, las ganas de mear arrecian e involucran a mi estómago mientras el hombre camina hacia donde mismo me escondo. Y caigo a gatas sobre el suelo y me escabullo detrás del laberinto de cajas y más cajas. Casi por un pelo me le escapo por esta vez y me alegro por ese lado, pero por el otro me cago en la hora que nací, porque estoy atrapado por partida doble.

El Minotauro se ha sentado en una sillita a la misma entrada del almacén, bloqueándome la salida. Lo acecho a través de los filos de aire que forman las cajas de zapatos con las lavadoras elegés, le pido a la Virgen misericordiosa que me ayude cuando lo veo repecharse en la silla, acomodar la cabeza en la pared y estirar las piernas como quien va a quedarse allí para rato.

Qué mierda, me digo qué mierda, estás enjaulado. Comprendo que si salgo ahora terminaré en la cárcel. Nadie va a creer que buscaba un baño, nadie va a entender que todas estas baratijas comerciales me importan un rábano, que ni siquiera de niño soñé con quedarme encerrado en una tienda de juguetes.

Y encima de todo me martiriza imaginar a Marcelo completamente libre de mí allá fuera, con sus dedos sobre los dedos del cabrón dependiente, con el gorrioncito más erizado que nunca. Es terrible. La sola embestida teórica del problema es ya terrible, no me deja ser astuto, no me permite valorar ninguna variante porque es que ya no tengo variantes. O sí, tengo dos, o me entrego o me suicido. Este cabrón almacén no tiene salida por ninguna parte. Es la boca del lobo, el suplicio de Tántalo, es mi mortaja.

Escucho voces en la puerta y me asomo de nuevo, meto la nariz por entre las cajas y descubro en la puerta al dependiente de los cosméticos. Entiendo que le pregunta por una loción de marca al almacenero.

—Queda una caja —le responde el tipo de la silla a mi contrincante—. ¿Quieres uno?

Creo entender que el almacenero le ofrece un frasco al dependiente, lo que sería la debacle. Pero no. El muy truhán dependiente no lo quiere todavía —lo que es también la debacle—. Le dice al Minotauro que se lo guarde, que después vendrá a por el frasco. Sonríe e insiste en que se lo guarde. Y ya está definitivamente instaurada la hecatombe. Mil tantos para el dependiente en la carrera por puntos de la vida. Es el tiro de muerte que me faltaba, el dato que me aniquila y un nuevo marido que me dejará por una cosa tan frívola. Es la confirmación de que el dependiente seducirá a Marcelo a costa de una ridícula loción de marca. No me hace falta estar afuera para ver cómo regresará al mostrador y con qué risa delatora lo citará para mañana y mañana para mañana y así hasta que el gorrioncito de Marcelo se desboque de tanto desear la crema y de tanto oprimirse contra la pared de la vidriera se quede ciego del ansia y termine siguiendo al cabrón dependiente a su casa vacía, moviéndose rico por todos sus adentros, derramando parte de aquel líquido cremoso insuperable —que antes era mío— sobre la cama imperial del dependiente.

De modo que estoy perdido. Paseo la llorosa mirada por los estantes repletos de fruslerías consumistas y me pregunto a dónde ha ido a parar el país con esas ansias frívolas que tienen todos. Y en medio de estos análisis, tan tristes, chiquito que es el mundo, la veo. Encuentro la cabrona caja de lociones de marca. Tiene que ser esa. Lleva dibujado el mismo botecito que me mostró vacío Marcelo esta mañana.

Gateo hacia la caja, la destapo sin hacer ruido y extraigo al fin un frasco igual al que sacudió Marcelo sin que ninguna gota de líquido o crema saliera por el boquete. Donde las dan, las toman, se llama esta película. Y podría tener dos finales: uno en el que salgo hecho un bólido con el frasco de loción en la mano, no importa que el tipo de la silla me destripe de un puñetazo si con el intento Marcelo —que debe estar aún merodeando por la tienda— comprueba que estoy más loco por él que cualquier dependiente de porquería.

El otro es un final de fuego, tanto más triste cuanto más emblemático. Encima de las cerámicas, apiladitas al hilo, están las cajas de fósforos. Cada cajita, con cada fósforo contenido, es el resumen alegórico de la relación de Marcelo y mía. Y sí, para darle un uso efectivo tendría que esperar a la noche —a que se fuera el Minotauro— para rayar un fósforo y habría que quemarse entonces. Pero yo no le tengo miedo al fuego —peor es el frío—, peor es esta carrera por puntos de la vida.

Ernesto Pérez Chang

Nació en El Cerro, La Habana, en 1971. Licenciado en Filología por la Universidad de La Habana, cursó estudios de Lengua y Cultura Gallegas en la Universidad de Santiago de Compostela. Ha publicado las novelas *Tus ojos frente a la nada están* (2006), *Alicia bajo su propia sombra* (2012) y *Comida* (2014). Es autor de los libros de relatos *Últimas fotos de mamá desnuda* (2000), *Los fantasmas de Sade* (2002), *Historias de seda* (2003), *Variaciones para ágrafos* (2007), *El arte de morir a solas* (2011) y *Cien cuentos letales* (2014). Su obra narrativa ha sido reconocida con el Premio David de Cuento de la UNEAC en 1999, el Premio de Cuento de La Gaceta de Cuba en 1998 y 2008, el Premio Iberoamericano de Cuento Julio Cortázar en 2002, el Premio Nacional de la Crítica en 2007 y el Premio Alejo Carpentier de Cuento en 2011.

Pájaros estallados contra el parabrisas

Recostado en el asiento trasero del auto, gozaba del silencio que Aldo quería inducir en nosotros. Provenía su voluntad de los excesos de nuestra duda, de su acumulación. No existía un acuerdo previo. No sabíamos a quién amaba en verdad o si nos odiaba a los dos. Había aprendido de ese tipo de maniobras junto a él, las disfrutaba a veces, y siempre supe que el viaje sería el último de un proceso para enmudecernos, pero solo en ese momento comenzaba a descubrir que no éramos almas especiales para él. Sospechaba de la brusquedad de los cambios de ánimo, de las sucesiones inesperadas de otras realidades, como si al doblar en cada curva hubiésemos penetrado en los sueños más profundos de aquel tipo que nos disputábamos sin intercambiar ni una sola frase. Intuía los malestares en el modo en que Marcelo se mordía los labios cuando se le acababan las palabras y trataba de conciliar aquello que la vista, o el propio paisaje, le proponía en un juego pérfido: primero la bruma densa nos embestía bajo la forma de un reptil de fuego guardando el campo de una batalla por librarse, después se plantaba inmóvil en la tierra baldía, bajo la apariencia de un árbol retorcido y sin hojas tras del cual se proyectaba un paisaje rojizo como de rocas ardientes. No era posible. «No es posible, Aldo». Marcelo quería desviar nuestra atención sobre las transformaciones y señaló el único objeto inmóvil, una montañita de hielo o de sal en medio de la planicie, y la sensación de frío nos erizó las pieles aun cuando sentíamos cierto hedor a carne chamuscada. Habíamos manejado hasta allí toda la mañana y habíamos visto y sentido temblar el horizonte al sobrepasar la cuneta. Las nubes dibujaban sombras verduzcas en el rostro de Aldo, que, a cada rato, ajustaba el retrovisor para percatarse de una irrealidad que avanzaba tras nosotros, como en una persecución sigilosa. Le dije varias veces que no era el vacío aquello que creía tras nuestras espaldas sino el calor del asfalto y las nubes de polvo que levantaban los neumáticos pero no lo hice en voz alta, me limité a mover los labios con la esperanza de que él se percatara de mi observación. Hubo un tiempo en que él me quiso en esa otra faceta que había dejado atrás hacía varios años, a los pocos días de conocernos. Mi silencio fue una concesión para retenerlo. Marcelo aún no conseguía entrar en ese estado. No contaba con el tiempo suficiente para comprender que ya comenzaba a fastidiarlo con sus interpelaciones o con esa risa estridente que lo irritaba. Quería llenar con ruidos y balbuceos el vacío entre Aldo y él, entre mi presencia y ellos dos. No lo comprendía. No había aprendido a detectar la ira de Aldo, no sabía leer su rostro.

Íbamos a toda velocidad cuando un ave negra se estrelló contra el parabrisas. Había salido de la nada y solo sentimos un chillido prolongado y agudo, como una especie de lamento, antes del impacto. No podíamos detenernos en aquellos parajes desapacibles, así nos lo habían aconsejado antes de la partida, pero el pájaro había quedado adherido al cristal en medio de una mancha de sangre, intestinos y plumas. Aldo no quiso continuar manejando. No por el espectáculo del animal estallado sino por Marcelo que amenazaba con vomitarle encima si alguien no limpiaba los restos. Les prometí que lo haría de inmediato, no por Aldo, al que sabía metido de lleno en su actuación definitiva; yo solo quería agradarle un poco a Marcelo para saber lo que en verdad pensaba sobre mí. Buscaba una ventaja a toda costa. Utilizaría unas toallas que había robado del hotel y en un par de minutos nos volveríamos a poner en marcha para dejar atrás aquel paisaje chocante. Marcelo salió del auto para fumar un cigarrillo, quería estar lejos cuando yo comenzara la limpieza, había imaginado los detalles hasta en los más imperceptibles ruidos y olores. Sabía que ya, para siempre, el fantasma del pajarraco le sería inoportuno, lo padecería en fiebres nocturnas, en los dolores de cabeza, en los insomnios. Era una criatura débil, demasiado para estar allí, por eso insistía en que Aldo lo acompañara hasta la montaña de hielo, le había gritado varias veces que bajara del auto y que me dejara solo por un momento —«Él lo necesita», dije—, habíamos visto unas sombras agitarse sobre el horizonte como una bestia a la que le molestaban los intrusos. Parecía como si todas las criaturas y objetos de aquel lugar quisieran estar lejos de nosotros y Aldo lo intuía y lo utilizaba a favor de su juego. Ya había llevado al tope el volumen de la radio solo para apagar con la estática los gritos de Marcelo, también me había pedido con un gesto que le alcanzara una cerveza. Bebía cuando estaba a punto de estallar. Había jornadas como estas en que bebía todo el tiempo.

Marcelo recién había llegado la noche anterior, casi en la madrugada y bajo un aguacero que había bloqueado las carreteras desde el mediodía. Llegó empapado, sin maletas y maldiciendo al portero que se había demorado en abrir. Lo había perdido casi todo en el camino. Solo le había quedado intacta la resolución de alcanzarnos como fuera. Aldo lo había llamado desde el hotel después de escucharle al empleado de la carpeta algo sobre una ciudad que había sucumbido a un cataclismo. Lo había convocado con una sola frase ininteligible que parecía la orden que Marcelo había estado esperando agazapado en sus propias oscuridades. Lo había visto muy cercano a la cólera cuando días antes pasé a recoger a Aldo en su apartamento. Marcelo no me dijo nada al abrir. Me hizo esperar en el pasillo y dejó la puerta entreabierta para que yo viera cómo se enroscaba al cuello de Aldo y lo besaba como un maniático. Aldo solo hizo un gesto con la mano para apartarlo y Marcelo fue a tirarse en el sofá con ademanes de bestia amaestrada a golpes. Comprendió que yo había ganado por esa vez y que él debía esperar. Lo imaginé, toda esa semana, inmóvil y disciplinado, mirando el teléfono, fumando su propia espera en pequeños sorbos de silencio y furia contenida. No tenía por qué preocuparme al menos por unos días pero, ya en el hotel, había descubierto que ninguna inquietud, ninguna precaución sofocaría el desenlace que Aldo había imaginado para Marcelo con escrupulosidad. Había esperado el amanecer reclinado en una butaca frente a la ventana, escuchando el golpeteo del agua, escribiendo nuestros nombres con los dedos en el sudor del cristal. Yo tampoco dormía pero simulaba hacerlo porque a Aldo le gustaba verme así: disponible, silencioso, indefenso. Marcelo, a mi lado, también fingía. La lluvia, el cielo tormentoso y los árboles que cercaban el hotel habían prolongado la oscuridad mucho más allá de las ocho. Saldríamos a media mañana.

Aldo había encendido la luz y hacía ruido golpeando las gavetas del armario. Recogía sus ropas con la prisa de un perseguido. Nosotros debíamos hacer lo mismo si deseábamos continuar en esa carrera mortal. No hubo tiempo ni para baños ni desayunos, solo correr hasta el auto y ocupar nuestros puestos. Marcelo delante; yo, detrás, como correspondía en ese nuevo nivel del juego muy próximo a las decantaciones.

Aún no habíamos salido a la carretera cuando descubrimos las primeras señales de una desolación por llegar: solo nosotros nos aventurábamos en aquella dirección, solo nosotros confiábamos en alcanzar un horizonte que no existía. Marcelo se ajustaba unas gafas oscuras para ocultar las ojeras que le habían dejado las jornadas sin dormir, la tediosa velada. No quería mirar atrás y constatar que yo estaba allí, disponible para Aldo, calibrándolo a él, midiendo las distancias para maniobrar en su contra. Es lo que hubiera hecho de ser yo, de Aldo, la compañía más próxima. Si aguzaba el oído podía acallar los sonidos del motor. Sentiría la lengua de Marcelo retorciéndose. Los charcos de saliva burbujeándole en su boca incontenible de agonía. Esos ruidos molestos eran mi nombre pronunciado entre maldiciones mudas y tolerancias maltrechas. Tal vez había llegado el momento en que, más que en los sueños de Aldo, penetrábamos en una especie de submundo nacido del resentimiento de Marcelo. Esa alma fugaz capturada a la antipatía solo podía crear paisajes resecos y animales suicidas que estallaban frente a nosotros para emplazarnos. Aldo ya estaba resuelto.

Marcelo, dando tumbos, caminó hacia la montaña de hielo que había comenzado a desmoronarse para descubrir su naturaleza marchita. Tal vez la decepción lo condenaba a una mudez irreversible pero inoportuna, tardía. Había dejado de llamar a Aldo y se movía por el terreno como una sombra más. Los rayos de sol de la tarde lo hacían invisible a nuestra compasión, lo habían convertido en un cono rosa semejante a la carne y ya una nube de pajarracos negros descendía como cuchillos afilados sobre él desde las ramas del árbol. Picoteaban con desesperación muy cercanos al rostro y de inmediato caían al suelo para transformarse en incendajas. Algunos pocos lograban remontar el vuelo para volver a las ramas del árbol pero un tornado inclemente los abatía sobre el auto en marcha donde Aldo y yo bebíamos cerveza y nos alejábamos del mundo en silencio.

Nació en La Habana en 1974. Es miembro de la Unión Nacional de Escritores y Artistas de Cuba y de la Latin American Studies Association. Ha obtenido, entre otros, el Premio David de Cuento por *Inventario* en 2004, el Premio Pinos Nuevos por *Esquirlas* en 2005, una mención en el Premio UNEAC de Novela Cirilo Villaverde en 2008, el

Ahmel Echevarría

Premio Franz Kafka de Novelas de Gaveta por *Días de entrenamiento* en 2010, el Premio José Soler Puig de Novela por *Búfalos camino al matadero* y el Premio de Novela Italo Calvino por *La noria* en 2012. Sus cuentos han sido publicados en antologías de Cuba, Italia o Estados Unidos.

Esquirlas

Orlando L y H Miller tienen la costumbre de venir a mi cuarto. Tal parece que se ponen de acuerdo. Llegan a la misma hora, muertos de hambre y con la lengua afuera, como dos perros callejeros. No se van hasta muy tarde. Cuando no tengo qué brindarles los dejo solos y salgo a la calle. Nunca regreso con las manos vacías, para eso están Vania y Edith.

Henry M dice que ellas son dos tipejas muy listas: «Vania es una gata y Edith una zorra. Todos desean revolcarse con esos dos animalitos, lo mismo hombre o mujer. De un zarpazo le rajan el pellejo a quien desee follárselas. Tienen una manera muy delicada de joder. Un dulce zarpazo».

H tiene razón. Las conocí en una fiesta. Les había prestado unos libros y luego de tres meses me preocupaba perderlos. Decidí ir a su casa, más que una visita quería recoger mis libros. Ellas me esperaban. En una llamada les dije que pasaría a media mañana. Apenas advertimos el paso del tiempo mientras conversábamos. Me invitaron a almorzar, también a unos tragos. Bebimos demasiado. Luego de la borrachera quisimos revolcarnos los tres y todo fue mal. Terriblemente mal. Vómitos, aspirinas, boleros, lágrimas y tangos. Los tres abrazados, desnudos, encerrados en un apartamento. Ninguno recuerda o quiere recordar por qué llorábamos. Tal vez pudo haber sido por los amigos en común que recién se habían largado o porque quisimos hacer un corte en aquella realidad. Esa estampida nos estaba arrancando pedazos desde hacía más de una década atrás, y en aquella visita que les hice nos dimos cuenta. Queríamos darle un vuelco a todo pero no sabíamos cómo. Llorábamos a lágrima viva. Estábamos rodeados de gente y a la vez solos. Puede que haya sido por eso. O porque llegaría el momento en que nos tocaría largarnos. O tal vez por la certeza de que desde nosotros no saldría ningún cambio. Nunca volvimos a hablar de lo mismo para no acabar como plastones de mierda. Aunque a veces intento imaginar cómo habría acabado todo con Vania y Edith si no nos hubiéramos deprimido, lo cierto es que terminé siendo el mejor amigo de dos mujeres que se aman y protegen hasta el punto del dolor. Nos llamamos *Los Tres Buenos Soldados.* Por eso nos buscamos cuando aparece algún problema, y las visitas de O y M me ponen en apuros. La despensa de Vania y Edith está repleta de sorpresas y a mi disposición.

Hoy Orlando L y Henry M están en mi casa. Como siempre, me roban todo el espacio de la cama. Se fajan por el oso de peluche que tengo sobre la almohada. Yani —mi mujer— lo llama Teddy, pero en secreto Orlando, Henry y yo lo llamamos Honey. Juguete color miel, felpa suave. Pero Honey es solo un apodo, porque para Orlando la pelambre del osito es el recuerdo del pubis de Jamy; para H, la mota suave y tupida del sexo de Tania; para mí, bueno, me sonrojo cuando Orlando y Henry me ven jugar con ese juguete lanudo.

Yani me deja a solas cuando a la casa vienen Orlando y Henry.

Quizá le parecemos un trío de maricones.

Ella no soporta el juego con Teddy. Siempre trata de llevárselo pero Orlando lo oculta bajo su camisa, se acuesta bocabajo y ronronea: «No lo hagas, Yani Yani, muñequita de buenas intenciones. No lo hagas. Mira que estoy solo. Muy solo. Mira que extraño mucho a Jamy. La muy puta está lejos. Lejos. Lejos. ¿No ves mis lágrimas? Lloro. Lloro sin remedio».

Yo veo a Henry burlarse de Orlando:

—No importa que esa perra se haya ido. Déjala, ya volverá. Piénsalo bien si vas a estar de nuevo a su lado cuando regrese. Si vuelve, fóllala hasta reventarle los ovarios. Alísale los pliegues, destrózale la vagina, arráncale los pelos del coño, luego pégatelos en la barbilla.

Orlando lo mira de reojo, a veces con odio, en ocasiones con envidia, hay días en que tiene un puñetazo a punto de desprendérsele de la mano y ganas de tirarle escupitajos. Sin embargo, eso apenas dura un par de minutos, el tiempo necesario que le basta a Orlando para decirle: «Americanito cabrón, ¿no ves que no puedo hacerlo? Nos amamos y así de perro es el amor. Por eso le escribo poemas, cartas, le dedico mis fotografías. Se las mando a su nueva casa. Nos golpeamos hasta sacarnos sangre, pero te juro que nos amamos. Americanito cabrón, así de perro es nuestro amor».

Y río. Henry nunca responde suave. Dicen que tiene malas pulgas. Orlando y yo decimos que no. Henry es un buen tipo y, si usamos sus palabras, H es un buenazo, un hombre con un corazón de mujer. Sin embargo, Henry le arrebata el oso a Orlando y responde muy calmado: «Querido poeta, querido fotógrafo, pedazo de pan de azúcar, sufre todo lo que puedas, sufre cuanto quieras. Te hará bien. Servirá de algo. Créeme, lo verás con el tiempo. Lo verán en todo lo que haces y nadie pensará que eso es arte. Te desprenderás de todo y cuanto hagas será la propia vida. La estarás amasando para luego vomitarla en el papel. No te sientas parte de ningún sitio. Estamos solos, jodidos y muertos. Una ciudad o un país no es más que un gran invento. ¿Qué es París, América, Londres? Una metáfora. Así de duro. Así de simple. Siempre que puedas vuelve al coño de Jamy. Deslízate en su vagina. Muérdele los ovarios y luego duerme allí. Vuelve a su matriz. Aunque deberías hacerlo también en otros huecos. Nunca te sientas atado a ningún sitio. Ahmel, ¿escuchaste? De veras es saludable. Muy saludable. Pero ten cuidado, tienes una buena mujer».

Los veo forcejear. Los veo ahí, robándome todo el espacio de la cama, tocando cada uno la piel de Teddy-Honey. Los veo ahí, con las pingas paradas a punto de reventar, babeados, los ojos en ninguna parte. Los veo ahí, ronroneando Jamy, ronroneando Tania mientras se tocan los falos duros.

Y lo único que hago es mirarlos.

Estoy en un rincón. Anulado. Si Henry no hubiera dicho esa arenga yo estaría, como otras veces, con ganas de tocar a Teddy-Honey, con mi hueso duro, durísimo, abultándome la portañuela, con tremendos deseos de babearme, igual que ellos. Pero sus palabras se han clavado en mi memoria. No tengo ganas de ronronear Yani. Mi cabeza, los brazos y las piernas no responden. Estoy anulado. Puede que de verdad esté muerto.

Por eso los miro, sin moverme, varado en un rincón del cuarto. Por eso a Yani le parecemos un trío de maricones.

Pero qué importa. A mi casa viene poca gente con la que de veras se pueda conversar. O casi ninguna. O nadie. Mis viejos amigos se han largado. Si no fuera por Yani, Vania y Edith, todo sería un inmenso vacío. Yo sería una enorme plasta de mierda. O tal vez lo soy pero al menos me queda ánimo para inventarme una vida junto a mi mujer. O tal vez lo soy pero todavía deseo ser uno de *Los Tres Buenos Soldados*, y así protegernos las espaldas, aunque en realidad sean Edith y Vania las que lleven la mayor parte. O tal vez sea un verdadero plastón de mierda, por eso caigo sin remedio en los tangos, los boleros, las lágrimas y el alcohol cuando recuerdo que *Los Tres Buenos Soldados* no pudimos guillotinar la realidad, darle el jodido vuelco.

«Estamos pegados contra las cuerdas». Esa fue la única frase que escuchamos Vania, Edith y yo aquel día en el apartamento. Lo dijo Edith cuando dejamos de llorar. Nos dimos un abrazo y me fui. El tiempo, la vida y esta metáfora que tenemos por país me están moliendo a palos. Sangro, lloro, tengo el tabique roto, perderé todos los dientes. Dejaré de tener huesos y terminaré siendo una bolsa de mierda blanda. Mientras, a mi alrededor, la gente pasa como si nada. Quisiera hacer algo y no se me ocurre nada. Henry tiene razón, *Los Tres Buenos Soldados* estamos solos, jodidos, muertos.

¿Qué hacer sino escuchar a estos dos cotorrones? ¿Qué hacer sino prestarle atención a estos dos fantasmas, dejarlos que entren a mi cuarto y convencer a Yani que los deje con el oso de peluche? Después de la arenga de H debería pasar algo. Si algo sucede, ellos habrán prendido la chispa. Luego no sé, tendría que regar la pólvora por toda la ciudad. Me siento como una puta, esperando siempre que vengan Orlando y Henry para que me follen con sus palabras, para que hagan saltar la chispa en esta bola de cebo que tengo como cerebro. Soy una puta. Si todo revienta, tendré un gran orgasmo, como una yegua.

Luego de la bronca por el oso, de hartarse con los recuerdos de Jamy y Tania, cada uno se raja la piel y empiezan a enseñarme trozos de músculos, fotos, comidillas del mundo literario o parte de los libros que piensan escribir. Hay quien los mira con recelo. A veces me pregunto si lo hacen para llamar la atención o de veras son unos incendiarios. Orlando y Henry odian a muerte esta nata donde nos estamos moviendo. Dicen que todo es falso, que este es un mundo de putones y censores. Son como dos viejas *vedettes*. Les gusta remover la mierda, espantar las moscas, dinamitar el establo donde rumia el ganado sagrado. Con los bracitos de Honey entre las manos, Orlando dice: «Morenito, necesitamos un *bad writing*, ripios y ripios de escritura. Ahmel Ahmel, ruega a todos los santos para que la mala escritura aparezca otra y una vez. La necesitamos, muñequito. *We just need a bad writing. All we need is a bad writing for breaking the literary pulp.* ¿Qué crees de eso, vejete?».

Henry lo mira. Trata de arrebatarle el oso y murmura en mi oído que nuestro querido Orlando es un verdadero puto, un chico listo, que sabe muy bien que la cuestión está en los límites:

—Contenerse es un gran error. Chico listo, ¿te has preguntado qué es el arte?

—¿Es dar un pistoletazo? —digo.

Henry me mira, guiña un ojo, dice que tengo una parte de los puntos, pero no el máximo.

—Muñeco moreno, el arte no es más que unas cuantas gotas de laxante, no muchas, la cantidad exacta para estimular la cagalera y limpiar las tripas —dice Orlando—. Ahmel Ahmel, si das un pistoletazo alguien debe morir. Tienes que apuntar a la cabeza. Y disparar.

¿Qué hacer sino escucharlos? Siempre digo poco. Escondo bastante, cuanto pueda, de mis proyectos. Aunque Orlando me convide a hacer cosas, a trabajar juntos —ahí están las series de fotografías y un libro y medio entre mis papeles—, escondo bastante. Tal vez nunca sepa cuándo podré enseñar mis cosas sin sonrojarme, sin pensar qué me falta para decirles a ambos: «Cabroncitos de mierda, dejen de putear, de masturbarse y díganme qué piensan de esto». A veces creo que mi interés por la literatura y la fotografía es un *hobby* para olvidar que no sé cómo dar el pistoletazo, cómo volar en pedazos mi realidad.

Necesito a O y a H. A veces me llaman para posponer la visita: «No pasa nada, querido. Si no vamos es para evitar la rutina. No sucedió nada, Ahmel Ahmel. No podemos matar el espíritu de nuestras reuniones».

Tal parece que se ponen de acuerdo, aunque digan lo contrario. Muchas veces pienso que el problema no es la rutina, porque la voz de Orlando se escucha arenosa, húmeda, como si se hubiera ablandado por una larga sesión de lágrimas, con un tono en falsete chillando Jamy, o alcanzo a escuchar el ruido del obturador de su cámara, o el serpenteo suave de su bolígrafo encima de la libreta de apuntes, también los golpes de tecla en su ordenador, o la máscara que Henry le pone a sus cuerdas vocales cuando me dice que no vendrá y detrás creo escuchar un ruido como de gata, gemidos suaves, un llanto suave, y su voz ronroneando Tania, Irene, Honey, Iona, o el ruido de un objeto de punta roma —una pluma, un lápiz— serpenteando encima de una superficie lisa —hoja en blanco, bloc de notas, la piel de Tania, Irene, Iona—.

Más que hablar con ellos trato de escudriñar la conexión telefónica, beber los ruidos de la línea para adivinar cuánto habrá de verdad, o mentira, en las palabras de ambos. Llaman, dicen, para evitar ese terrible ciclo al que poco a poco el país entero va arrastrando a todos.

Ellos me asustan.

Cuando suena el teléfono se me aflojan las piernas.

Tiemblo.

Todo por culpa de esa palabra: rutina.

De solo escucharla recuerdo que estoy frente al vacío. A nada de distancia. Después de esa llamada, el tango, los boleros, las lágrimas y el alcohol me dejan mal parado. No atino a hacer nada. Soy la nulidad. Soy un bebé tirado sobre el asfalto caliente, en medio de una avenida. Desnudo. Un bebé con la piel, la carne y los huesos triturándose bajo los neumáticos, las pisadas, envuelto en hollín, polvo, escupitajos y colillas de cigarros.

Si no recibo estas llamadas el día pasa como si estuviera en un campo de hierba mullida y fresca. Como si Yani y yo nos revolcáramos en el pasto. Follar una, dos, tres, mil, un millón de veces. Como si decidiera pastar largo rato, cagar a la sombra lo comido y dormir. Tranquilidad. Nada más que tranquilidad sobre esa alfombra suave si no es la llamada de Orlando o la de Henry.

Pero llamaron. Y me tiemblan las piernas. Dar de cara contra el día. Dar de cara con la vida, lejos, muy lejos, demasiado lejos de la interminable alfombra de pasto.

Orlando L y Henry M hablan casi al mismo tiempo. Le doy un chance a cada uno. Les advierto que no se molesten si no respondo. Siempre les explico que mi aparato telefónico es moderno y puedo hablar con los dos al mismo tiempo: «¿Estás ahí todavía, O? Sí, Ahmel Ahmel. ¿Estás ahí todavía, H? Claro, querido. Ahmel Ahmel, llamé para decirte que no iré esta tarde. Ahmel, llamé para decirte que no iré esta tarde».

Hago silencio.

Me tiemblan las piernas.

No vendrán.

La cama seguirá siendo mía. Terriblemente mía. El cuarto seguirá siendo mío. Terriblemente mío. Teddy-Honey será solo Teddy. Simplemente el querido osito felpudo de color miel. El oso de peluche de Yani. No será igual el día. Es la llamada de advertencia:

—¿Estás ahí todavía, muñequito de buenas intenciones? ¿Estás ahí todavía, querido? Di algo, por favor. Habla, muñeco. Responde, querido.

—¿Cuándo vendrán?

—Ya sabes, pronto.

—¿Cuándo? ¿Cuándo, por favor?

—Pronto, ya verás. Saludos a Honey. Saludos a Yani.

Orlando escribió en mi libreta de notas: *Empezar de cero, una y otra vez. Un ciclo que se repite para nosotros eternamente. Cada diez años. Otra y una vez. Empezar de cero.* Orlando cree que esa es nuestra realidad. Una realidad irreal: «Ahmel Ahmel, así transcurre todo fuera de nuestros párpados: cortes de la realidad, planos secuencia de la irrealidad, un carrete de fotografías que dura justo diez años y luego es reemplazado por otro que también dura diez años. Solo quedará volver a empezar desde un nuevo año cero que, a la larga, es el mismo con el que inician todos los ciclos».

Tal parece que Orlando ha vuelto. Siento una pesada carga de energía. Creo escucharlo. Susurra que ese asunto de las décadas es La Respuesta. «Solo eso, muñeco, nada más. La respuesta para toda pregunta, no importa cuál sea, el duro e interminable ciclo de diez». Me advierte que me fije, que revise los diarios: «Busca bien en los titulares, muñequito moreno, un guillotinazo en primera plana y luego leer los mismos titulares».

Orlando quiere que me fije en el rostro de los transeúntes, en la ciudad, las calles, las estatuas: «Fíjate bien, Ahmel Ahmel, los mismos gestos alternándose entre la alegría y el dolor, el hijo que nace, el anciano que muere, los titulares tatuados en la piel; el carmín y el navajazo tatuados en la piel; la necesidad de sexo y la desesperanza tatuadas en la piel; la lluvia, el sol, la brisa y el salitre tatuados en la piel, luego un guillotinazo y nuevamente lo mismo». Entonces vivimos en la irrealidad. Castillos de naipes bajo el sol, maderas torneadas, esperanzas, tejas, desamor y guardavecinos, columnatas, engaños, soportales, alegría, mierda y orine de perros. Naipes escudriñándolo todo, rigiendo todo, trocando todo. «Si algo es real es este ciclo que termina cada diez años. Y volvemos al cero, muñequito de buenas intenciones. Eternamente».

¿Acaso nos debe importar el tiempo?

Orlando L dice que desvivimos una larga y penosa eternidad que termina cuando nuestros huesos no dan más.

Entonces no debería importarnos el tiempo, sino la intemporalidad. Así lo cree H Miller. «El verdadero cáncer es el tiempo. Nos está devorando. El cáncer del tiempo nos está devorando». Henry me obliga a prestar atención a todo lo que veo, dice que lo necesito, que nada tiene más importancia: «Fíjate, muchacho, ¿qué ves? Nada cambiará, nuestros héroes se han matado o están matándose. ¿Qué ves? ¿Acaso importa el tiempo? Nuestro único héroe es la intemporalidad».

¿Y lo demás, Henry M? ¿Qué ha pasado entonces con todo?

¿Y lo demás, Orlando L? ¿Qué ha pasado antes de mi verdadero día cero, el inicio de mi ciclo?

Orlando dice que La Respuesta sirve para todo. Henry espera de mí que no deje pasar los detalles de cuanto me rodea: «Ya se lo dije a este chico listo. Tampoco lo olvides, Ahmel. Consigna lo que se omite en los libros. Ya pasó la época en que éramos bastante inocentes como para escuchar a los poetas y sentarnos alrededor de una mesa al atardecer, para invocar a los espíritus de los muertos».

¿Qué debo hacer, Henry M?

¿Qué debo hacer, Orlando L?

Como una pesada carga de energía siento la presencia de Henry. Me da vueltas. Flota hasta el librero. Tira abajo mis papeles, las fotos. Busca mi libreta de notas. Supongo que se han caído porque de verdad los tiró él y no Yani al tropezar con el mueble. La libreta cayó abierta: *La época exige violencia, pero solo obtenemos explosiones abortivas.* Había más en aquella nota que tomé de Henry. Había más. Como que la pasión se consumía en el escape, que no nos proponemos nada que pueda durar más de veinticuatro horas.

Y de verdad yo soy eso. Nada del buen soldado. Creo que me he ido consumiendo en el escape.

Con azoro miro a los lados. No están Orlando ni Henry. Siento esa pesada carga de energía. Camino a la ventana. Veo naipes. Uno encima del otro. Y el viento que insiste en soplar entre calma y calma. A veces fuerte. Tanto como un huracán.

Por Dios, Henry, ¿y todo lo demás?

Por el amor de Dios, Orlando, ¿dónde fue a parar todo lo demás?

El teléfono avisa. Ha vuelto el temblor de piernas. Es Orlando. Es Henry.

—¿Estás en la ventana, Ahmel Ahmel? ¿Estás frente a la ventana, muchacho?

No puedo responder, tampoco moverme.

—Me preocupas, querido. Llamé a Orlando y conversamos acerca de ti. ¿Estás ahí? Me tienes en ascuas, morenito. Recién llamé al americanito y hablamos larga larga largamente. ¿Estás ahí?

—Sí.

—¿También Yani y Honey?

—Sí. Por ahora.

—¿Qué quieres decir con eso? Por el amor de Dios, sal entonces de la ventana. Sal de una puta vez y vete a la calle. Suerte, querido. Ya sabes qué hacer. Cuídate mucho, Ahmel Ahmel. Trata de que no le pase nada a tu chica, sabes que tienes mucha suerte, es la mujer más buena del mundo. Yani Yani es la muñequita más encantadora y sensata, mírale a los ojos. Escúchala al menos una puta vez. Después, vete a la calle. Hazlo, por favor por favor.

—Ok.

—Eres un buen muchacho. ¿Sabes?, es una suerte tenerte. ¿Qué haríamos sin tu cuarto, sin los encuentros?

Eres una bendición. Hablas muy poco. Tal vez sea saludable. Deberías empezar a escribir de una puta vez.

—Ok, ¿Henry, nos veremos otro día? ¿Orlando, nos veremos otro día? ¿Nos veremos?

—Adiós. Sal de la ventana y empieza de una puta vez. *Chau chau, mon amour.* Adiós, muñeco. *Chau chau, je t'aime.*

Yani se ha acostado. Acaricia a Teddy. Así pasa un buen rato. Hasta que sus ojos quedan fijos en ninguna parte, dice palabras inconexas. Hasta que parece babearse, ronronea Ahmel. Hasta que su mano se libera de todo, se desprende del cuerpo. No me mira. Su mano va por ahí, como un animal, despacio, sobre y dentro de la piel. La miro. Creo escuchar en falsete la voz de Henry. La pesada carga de energía dice que es un buen día para revolcarme primero con mi mujer y luego sacar en claro algunas cosas. Dice que todo —su voz en esta parte deja de escucharse tan bajo—, todo me será muy útil: «Cuando termines de revolcarte, canta, sin desentonar mucho, claro. Te hará bien. Después escucha todo lo que tu mujer quiera decir».

Yani sigue tumbada en la cama. Se la ha robado toda. Ella y Teddy-Honey. Pienso en las palabras de H, de O, en la libreta de apuntes, la cámara fotográfica. *Rutina, violencia, explosiones abortivas, metáfora, titulares, irrealidad, héroes, intemporalidad, horror.* ¿Qué somos en medio de todo esto? ¿Figuras en un lienzo? ¿Figuras nada más?

—Deja todo eso para después —dice Yani.

Y nos tiramos en la cama hasta volvernos un amasijo.

Lengua, falo, sudor, vulva, saliva.

Casi morir.

—Busca tu billetera, también pondré todo el dinero que tengo —dice Yani, todavía en medio de grandes bocanadas de aire.

—¿Qué te traes?

—Ayudarte. Ayudarme. Puede que te conozca mejor que a mí misma. Necesitamos tijeras y periódicos. ¿Qué somos sino figuras? Mañana saldremos temprano para comprar toda la prensa que podamos. ¿Por qué no nos sentamos bajo la ceiba del Parque de La Fraternidad?

La imagen de Orlando ha aparecido. Atraviesa la corteza de mi cerebro y se para justo detrás de la puerta, inclinándose, asomando su cabeza. Me ruborizo de solo pensarlo. ¿Podrá guardar este secreto? De estar aquí, respondería: «No sé si puedo, Ahmel Ahmel, ojalá pudiera lanzarme sobre la ciudad, y tener alas, planear y decirle a todos que se lleguen hasta el Parque de La Fraternidad, que todavía no sé por qué ni para qué, pero que vayan. Morenito, de todas maneras quién me creería, si todo es la pura irrealidad».

La imagen de Orlando se sube las mangas del pulóver, sonríe y dice: «Muchachito, el americanito y yo teníamos razón».

Reunimos sesenta pesos. En el camino compramos cuarenta periódicos y seis revistas. Al llegar al parque nos sentamos a la sombra de la inmensa ceiba.

—Toma una —Yani me alcanza una de las tijeras.

—¿Qué hago?

—Recorta lo que quieras.

Yani divide a la mitad el bulto de periódicos y revistas:

—No mires lo que hago. Haz lo que quieras.

Comienzo a recortar figuras raras. Mutilo imágenes,

titulares, bloques de noticias sin ningún sentido, hasta que alcanzo a recordar el primer acto de verdadero ilusionismo de mi vida: mi maestra del jardín infantil multiplicó un simple pliego de papel azul en una cadeneta de hombrecitos. Luego la maestra repartió páginas de diarios para que practicáramos. Era gracioso ver cómo nuestras manos, pequeñas y torpes, engendraban cuerpos grotescos, arropados en tinta roja y negra, con imágenes de desastres naturales, editoriales, líderes, villanos, titulares, caricaturas y conflictos armados. Para nosotros fue una fiesta parir aquellos engendros, picar en trozos los papeles que nuestros padres mantenían fuera de nuestro alcance hasta que terminara el día. Fue una verdadera fiesta ver tantos cuerpos tomados de las manos. Al menos yo creía verme recortado, junto a los demás niños del jardín, en aquellas hojas de periódicos.

Tras cada corte aparecen muñequitos más graciosos. Decenas de figuras repetidas, tomadas de las manos, con sombrero, sayas, pantalones, luego en posiciones variadas. Mujeres y hombres simplemente parados, o congelados en un salto, con las manos y piernas levantadas, o frente a frente, cara contra cara, puño contra puño o con un arma en la mano, cada revólver encañonando al arma contraria, en pose de ira, en una pelea a punto de estallar. No quiero mirar a Yani. Y escucho el *chas chas* de su tijera. Deseo sorprenderla. También deseo sorprenderme con sus figuras. Un pliego, otro, otro. Pero es bien difícil, no es solo papel entintado lo que troza mi tijera. Cada titular, cada imagen, cada noticia es un mazazo, un golpe que me lleva hasta el apartamento donde Vania, Edith y yo estuvimos desnudos, a la deriva, ahogados en los boleros, recuerdos, el alcohol y los tangos. Nunca volvimos a hablar de lo sucedido. No volvimos a repetir que estábamos pegados contra las cuerdas, aunque no dejáramos de recibir millones de golpes en el cuerpo. Éramos *Los Tres Buenos Soldados*, pero mencionar aquella frase era igual a descubrir el flanco vulnerable. Por ese lado se nos colaba la realidad en nuestra realidad, o la irrealidad en nuestra irrealidad. Cómo darle un vuelco de una puta vez, cómo darle el pistoletazo era la eterna pregunta que al menos yo me seguía haciendo. Y como si el acto de recortar una larga cadena de seres humanos volviera a ser aquel verdadero acto de ilusionismo, entre mis manos la primera plana del periódico se volvió un beso repetido en decenas de hombrecitos, en decenas de mujeres. Los había recortado desnudos, seno contra seno, falo contra falo. Yo plegaba y abría la cadeneta, quizá buscando el roce total de todos los cuerpos. La orgía entre hombres de papel. El amasijo de tetas, piernas, labios, pingas. La cópula sin medidas. Tal vez la fraternidad verdadera y total.

El continuo *chas chas* de las tijeras de Yani es intrigante. Ella me había pedido que recortara cuanto quisiera, sin mirarla. Pero la pesada carga de energía que a veces me ronda cuando creo sentir la presencia de Orlando o Henry me obliga a espiarla. «Ayudarte. Ayudarme». Yani me había dicho que quería ayudarse y a la vez quería ayudarme. Ella tenía todo claro desde el principio. También recorta cadenetas de hombrecitos. Comenzó a hacerlo desde el instante mismo en que nos sentamos en el parque.

Un grupo de personas empieza a rodearnos. Le aviso.

—Ayúdame a repartir —Yani abre su mochila.

Teníamos varias tijeras y una buena cantidad de periódicos. Las revistas todavía están intactas.

Explicamos que las tijeras no alcanzan, pero hay papel para todos. Pedimos que recorten sin mirar a quienes tienen al lado pero que, si no se les ocurre nada, no importa si se fijan. Algunos prefieren mirar. Otros piden las tijeras, entre ellos Vania y Edith.

—Tremenda sorpresa —les digo a Vania y Edith mientras les alcanzo unas tijeras—. ¿A dónde iban?

—Para acá. —Edith suelta la mano de Vania, me saluda con un abrazo y un beso en la mejilla, luego saluda a Yani.

—¿No mandaste un aviso con tu amigo Orlando? Me pareció una buena idea. —Vania me da un beso y me abraza, luego saluda a Yani—. ¿Qué haremos con los recortes?

—Luego veremos.

Vania y Edith apenas pueden sentarse. Dos policías atraviesan el grupo de personas reunidas alrededor de la ceiba.

—¿Quién está dirigiendo esto? —pregunta un policía.

—Nadie —digo—. No tenía qué hacer y vine hasta el parque con unas tijeras y los periódicos. La gente apareció sola. No sé si tampoco tenían qué hacer.

Todos dejan de cortar. Algunos se marchan cuando los policías no los miran. Lo mismo que todos han decidido venir, también pueden irse.

—¿Quién trajo las tijeras y los papeles?

—Yo.

—Entonces sí tenías algo que hacer. Esto no es para matar el aburrimiento.

El policía más viejo pide mi identificación. Hablan entre ellos y por sus radios. Miro a Yani, preocupado. Yani me mira, preocupada. Vania y Edith nos miran, van hasta el centro del grupo, se abrazan y empiezan a besarse. Las dos van de blanco. Tela de hilo fresca y casi transparente que a ratos se pega en las curvas de sus cuerpos.

Vania tiene una blusa corta y un abdomen tatuado y plano. Son dos mujeres de piel blanquísima vestidas de blanco. Parecen dos trozos de mármol sobre las lozas del parque. La tela contra la piel. Blanco sobre blanco. Abrazándose. Un tatuaje que a ratos se esconde bajo la tela de hilo, tras el cuerpo de Edith. Es un beso largo. Larguísimo. Un beso tan largo que va tragando el creyón de los labios y la mirada de los policías.

Alguien me dice al oído que esas dos tipejas son muy listas: «La del tatuaje es una gata y la otra es una zorra. Son dos animalitos. Míralas qué tiernas. Qué putas. Todo el mundo quisiera revolcarse con ellas, querido, lo mismo hombre o mujer. ¿Te has dado cuenta de lo que están haciendo?». Es la voz de Henry, acaba de llegar. Orlando le había avisado. Me dice que eso —y señala hacia Vania y Edith—, eso es más que un beso, como tampoco los recortes de periódicos son simples figuras. «Es una idea genial. Eres un chico muy listo. Mira a todos, no pierdas de vista a los policías, tienen la verga a punto de reventar. ¿Quién puede decirte nada sobre esto? ¿Olvidarán lo que está pasando? Habrá que esperar. Querido, debes ponerte duro, lo peor está por llegar». No sé por qué dice que es un buen intento, aunque sé que algo se le irá de las manos a alguien y lo peor está por pasar. «Querido, ¿alguna vez has tenido una erección al ver una estatua o un recorte de papel? ¿Lo has sentido? He visto todo: tus recortes, tus amigas, y mi verga quiere reventar. Cuídalas tanto como a tu Yani, ellas tres son las mujeres más buenas del mundo. Sabes bien lo que digo». «¿Lo sabrá, Henry? ¿El morenito sabrá lo que está pasando? Esto es un *performance*, mi bebé. Una mala escritura, cuerpos desobedientes, manos y cabecitas malcriadas destrozando decenas de periódicos, bebé. Tendrán que regañarte. Eso es caca. Ahmel Ahmel, nada de malos ejemplos en público. ¿Recuerdas aquello del pistoletazo? Pues le diste a esos dos hombrotes de uniforme. Fíjate en sus entrepiernas. No te lo perdonarán».

Orlando también me dice que lo peor está por venir.

Miro a los ojos de los policías.

Miro sus manos, las portañuelas.

Escucho las radios.

Carraspean. Se acomodan la boina, el arma. Guardan los *walkies-talkies* y, mientras se acercan, esconden el inmenso bulto bajo el talonario de las multas.

—Ciudadano, tiene que acompañarnos.

—¿Por haber recortado periódicos?

—En la unidad se aclarará todo.

«Ciudadano —dicen O y H en mi oído—, ciudadano, pregunta a qué llaman *todo*, será muy bueno que conozcas su respuesta. Puedes hacerlo, recuerda que eres un ciudadano».

Yani susurra que no diga nada: «Vete tranquilo. ¿Qué podrán decir sino que estamos rompiendo papeles y ensuciando el parque?».

Los policías se miran, hablan algo en voz baja y creo escuchar que conmigo es suficiente, que yo soy el que organizó todo y que el lugar estará vacío en menos de media hora. Señalan donde está parqueada la patrulla. El más joven pregunta qué hacer con Vania y Edith.

—No podemos hacer nada.

El grupo de personas abre un espacio. Ellos llevan mi carné, varias cadenetas de hombrecitos y un periódico. Miran a todos en una rápida pasada, pero se detienen cuando llegan a los silbidos de Henry, a la sonrisa de Orlando, a los ojazos de Yani, en ese otro beso largo, larguísimo, que Vania y Edith no terminan de una vez.

Entramos en el auto. El grupo que está en el parque se ha vuelto hacia la patrulla. No la pierden de vista. El policía más joven está al timón. Me mira, luego a su pareja. Nos separa un plástico transparente y duro. Dicen algo en voz baja y el más viejo hace una seña.

Las gomas chirrían. Para llegar a la estación debemos rodear al parque. Nadie se ha movido. Vania y Edith se apartan del grupo y comienzan a caminar alrededor de la ceiba, tomadas de las manos, sin perder de vista la patrulla. Van quedando atrás. Saben que los policías las miran por el retrovisor; se han detenido, se unen en un largo abrazo del que ya solo queda un rastro en mi memoria y tal vez en la de los policías.

Cómo guillotinar la realidad, cómo hacer un corte y darle un vuelco a todo, esa es mi eterna pregunta. La tengo enquistada en mi cabeza, como un tumor, un maldito tumor que le va robando el espacio a todo lo demás. Hay días en que no logro olvidarla.

He llamado a Henry y Orlando. Estoy asustado. Todas las mañanas alguien deja una cadeneta de hombrecitos de papel en la entrada de mi casa. Vivo en un quinto piso y nadie ve nada. Nadie sabe nada. Aparecen junto al umbral. No soy un jodido héroe. Luego de salir de la estación supe que nadie volvió a hacer nada parecido en el parque. ¿Quién será entonces? No han sido Vania ni Edith. Ellas lo confesaron. Llevan más de un mes recibiendo corazones flechados y flores. Tampoco han visto a nadie. Edith dice que no sabe qué hacer. Vania no pudo más. Tiene un billete para Canadá, un pasaje sin retorno. Saben que el reencuentro tardará bastante. También tengo miedo, mucho miedo.

Empecé a tomar algunas notas, a redactar como un demente, a clavar la vista en lo que me rodea. De *Los Tres Buenos Soldados* ya no queda nada. Quisimos poner una carga y nos estalló en las manos. Volamos en pedazos. Somos fragmentos con los que apenas se puede reconstruir algo. ¿Qué se podría armar con un montón de esquirlas? Nada. H Miller, Orlando L y Yani dicen que no. «Con esas basuritas se puede armar algo, con esos ripios haremos mucho, lo verás, muñequito desarmado, todo lo verás y se verá más claro. No te vuelvas un puto y sigue ahí, como un jodido loco. Ya sabes que en cualquier lugar que vayas descubrirás el vacío, estará ahí, esperando por ti. Todo es pura ficción, nada más que una metáfora. Nené, háblame, déjame ayudarte. Creo que no debes parar, te ayudaré a juntar todos los recortes que dejan en la puerta. Ya verás que tenías razón, te servirán de algo».

Yani está en el cuarto. Está tumbada en la cama con Teddy-Honey entre las piernas. Ella ronronea Ahmel mientras reviso las figuras que han aparecido en la puerta.

—No sé qué sentido darle a todo esto.

—Te ves cansado. Mírate las ojeras. Deja eso para después. Ven. Después te digo.

La miro. Ella juega con el osito. Teddy-Honey parece gozar con ese juego. Yani lo pone sobre su vientre. Empieza a acariciarse suavemente. Hasta que una de sus manos se separa del cuerpo. Va libre. Arrastrándose por toda la piel. «Ven». Y me atrapa. Y nos tiramos en la cama hasta volvernos un amasijo.

Lengua, falo, sudor, vulva, saliva.

Una, dos, tres veces.

Casi morir.

—No hay orden para las esquirlas —dice Yani entre grandes bocanadas de aire—. ¿Qué pasó con *Los Tres Buenos Soldados*? ¿Qué sabes de mí, de Orlando, de Henry? Nené, tú sabes toda la historia.

Yani lo tenía todo muy claro desde el principio. Caos, dolor, hastío, muerte, juego, horror. Justo eso éramos Vania, Edith, yo. Eso éramos Orlando, Henry, Yani, yo. Estábamos de cara contra la realidad. Solos. Como muchos. A la deriva sobre el vacío, siempre a punto de encallar. Estábamos rodeados de gente, en medio del bullicio de la ciudad, pero sin más compañía que nosotros mismos. Estábamos realmente solos, jodidos, muertos.

Yani me alcanza la libreta de notas. También trae un bolígrafo. Hace una cruz en una página en blanco y dice: «¿Te atreves? Debes empezar aquí».

La cierro.

Me disculpo.

Apenas tengo fuerzas para responder.

Nació en Holguín en 1969. Es escritor, periodista y editor de publicaciones culturales. Ha obtenido numerosos galardones de narrativa y literatura infantil y juvenil, entre ellos los premios La edad de oro, La Gaceta de Cuba y el de la Crítica Literaria. Ha publicado los libros de cuentos *Eros del espejo* (2001), *La madrugada no tiene corazón* (2006) y *Unplugged* (2014), las novelas *Majá no pare*

Rubén Rodríguez

caballo (2003) y *Gusanos de seda* (2006), y los libros para niños *Mimundo* (2005), *Peligrosos prados verdes con vaquitas blanquinegras* (2008), *Paca Chacón y la educación moderna* (2009), *El garrancho de Garabulla* (2012) *y El maravilloso viaje del mundo alrededor de Leidi Jamilton* (2013). Sus relatos han sido incluidos en antologías de Cuba, España y República Dominicana.

El tigre según se mire

Yo es otro
Rimbaud

Esa puta, dice Mauricio. Se queda callado, y su nuca sudorosa me cabe en la palma de la mano, que no se atreve a tocarlo. Vuelca sobre el cristal de la mesa su dolor, como quien derrama un plato de caldo. Las palabras saltan como viandas calientes. Ella es una puta y tú eres un mierda. Enciende un cigarro y juega con él entre los dedos temblorosos. Dame agua, dice y le traigo un poco; toma un sorbo y se recuesta. Podría matarla, ruge, y le acomete una rabia que le derrite la cadena de plata. No me mira y es mejor que no lo haga. Todavía puedo disfrazar la voz, mentirle, pero si me mira a los ojos lo va a descubrir. Siento cómo el calzoncillo se va entripando, el roce de sus muslos me derrite los huesos como plomo. Se seca las manos y deja manchas oscuras en la mezclilla. Suspira grueso y sigue hablando. Tiene una inconfundible cadencia a mitad de la oración, un vaivén, un meneo de pelvis. Despegue, ascenso, sacudida y la pequeña caída final. Igual sufro ese pequeño derrumbe. Yo tropiezo al final de la frase. Ya no es el tipo jodedor que decía que la vida es un carnaval.

Ya no están la mujer sin manos ni sus tallas de madera sobre la mesa. La artesanía no es arte, le decía Mauricio y ella se enzarzaba en un interminable sermón, salpicado de citas y títulos de libros. Artesanía pinga: lo mío es arte. Para hacerse perdonar, él le susurraba cochinadas y le sobaba las tetas. Y yo me iba a cambiar la música, a cambiar de canal o a cambiarle el agua a los peces, mientras Mauricio *en off* decía que se la iba a meter y ella riendo contestaba que él está ahí. Y yo me largaba, espantado por un tsunami de feromonas, de líquido preseminal, de sudor, cuyo vaho me empujaba puertas afuera. Yo pensaba en que, seguramente, la mujer sin manos estaba echada bocarriba, húmeda y caliente, tragándoselo. Rico mami. Me daban ganas de regresar al apartamento y tocar con cualquier pretexto. Se me quedó el reloj, la cartera, el hígado. Para mirar los restos de la batalla y decir me duele la cabeza, dame una aspirina, Mireya. La mujer sin manos se secaría los muslos con la bata de casa, rompiéndome con los ojos, comemierda. Pero eso no se le hace a un socio aunque tengas ganas de decirle tiremos a la puta por el balcón y yo termino. Puedo abrirme con las manos para que entres todo, y morir, y que te mueras, y que haya un terremoto de diez pisos en la escala de Richter... Sin embargo, nunca tuve cojones.

Esta vez es diferente. Mauricio me dice vete, con los ojos clavados en el rincón. No se mueve de la butaca, donde deja una informe mancha de sudor. Yo cierro la puerta a mis espaldas, camino el par de metros que separan el apartamento del elevador. Entro en la lata de sardinas, con su sempiterna bombilla, las paredes embarradas de verde sucio y, en su silla escolar, la ascensorista que lee a Borges. Hasta abajo, le pido. Pero ella dice vamo-arriba-nene, porque alguien llama desde un piso alto, y la nave se dispara hacia el infinito y más allá por el túnel negro, mientras los gruesos labios de la mujercita salmodian la plegaria a Joijeluí Boije. Curiosamente, arriba no espera nadie. La ascensorista, moviendo los labios como un pez, aprieta el botón correspondiente y hace bajar el cacharro mecánico. Hasta abajo. Sin embargo, desde algún piso se produce un luminoso reclamo. El aparato se detiene con un resoplido asmático. La puerta se corre, crujiente, y monto yo de nuevo.

Lo miro, nos miramos. No me reconoce. Suda, se arregla la camisa, el cinto. Trae una erección. Traga en seco al montar y pide hasta abajo, pero la ascensorista contesta: Primero-vamo-arriba. El nuevo pasajero tiene unos ojos brillantes que contemplo lleno de envidia. La mujer nos mira las portañuelas hinchadas, y parece que nos saltará encima, las sacará arañándolas con los cierres y se las meterá en la boca, sin dejar de recitar. También nosotros recitamos antes de salpicar las paredes verde triste y la camisa azul de la mujer, en cuyo bolsillo izquierdo se lee «Max», porque es de donación, de las que algún minero canadiense misericordioso mandó al pueblo cubano. *Cuántas veces habré mirado al poderoso tigre de Bengala ir y venir,* digo yo con un cosquilleo entre las piernas, yendo y viniéndome entre las cuatro paredes de lata; *detrás de los barrotes de hierro sin sospechar que era su cárcel,* ruge el otro manoteando contra las paredes y con la cabeza vuelta hacia atrás por el placer; *Oh ponientes, oh tigres, oh fulgores...* balbucea la mujer palmeando este jarro a la candela. El de los ojos brillantes recuerda que bailaron los tres, bebieron muchísimo y la mujer sin manos estaba eufórica. Quiniento fula, nene, porque había vendido una pieza a un cliente extranjero. El mercado del arte. Asaron un pernil, bebieron Havana Club siete años y bailaron salsa los tres juntos. Ella con los brazos en alto, entre los dos hombres, sin dejar de mover la cintura sudada, los brazos sudados, los muslos sudados; ellos sin camisas, uno agarrándola por la cintura, el otro por el cuello, los tres borrachos, riendo. Mi otro yo se arrimó a las nalgas de la mujer y le restregó todo su bulto. Rico. La tiene dura, protestó ella. Está caliente, déjalo, dijo Mauricio. La mujer reculaba, riéndose a carcajadas y se sacudía frenética, mientras se pasaban el ron. Cuando él miraba a los ojos de Mauricio, la mujer desaparecía, era apenas una prolongación de Mauricio. Ella se meneaba mientras los hombres la golpeaban con las ingles, y el roce contra el liso vestido iba anunciando una picazón que obligaba al otro a escurrirse rumbo al baño con el pantalón apretado en el puño, una tenaza que contuviera el torrente que ardía, saltaba, explotaba salpicando la taza y dejaba la mancha húmeda que mira de reojo la ascensorista, mientras masca a Boije y lo baja con un trago largo de agua del pomo plástico. El hombre que se me parece está contrariado y feliz. Piensa que allá deben estar frotándose todavía, raspándose contra las paredes que dejan su huella de cal en los brazos y la ropa. La ascensorista nos mira sin dejar de silabear. No sé cómo puede leer en este cajón claustrofóbico. Tiene una bolsa con un termo cochambroso. Café, supongo, una linterna, trapos. Lee aquel tomo de *Páginas Escogidas* de 2002, que es una reedición y el número 122 de la colección. Mi compañero raspa la mancha con la uña, pero está calando la tela con su olor a fruta verde, a cogollo macerado. Junto a la silla de la ascensorista hay un panel con botones numerados que se iluminan. Alguien ha sustituido los números originales del plástico por esparadrapo, rotulado con tinta azul. Se enciende el botón del diez, y esperamos ansiosos. Tal vez suba Mauricio con un brillo en los ojos y crea que se ha vuelto loco al verme por duplicado, como los papeles de la oficina. Le diremos ¿vas saliendo, nos tomamos un trago?, como si nada hubiera pasado. La puerta se descorre con un quejido metálico. Pero quien se desliza dentro del jarro-elevador soy yo, una vez más.

Buenas tardes, dice. Buenas tardes, contestamos todos. La ascensorista levanta los ojos de las páginas amarillas por la luz, y pregunta: ¿Qué piso? Abajo, respondemos. Ella repite su rutina y seca la frente con una toallita roja como una blasfemia. Arriba no espera nadie, ella saca la cabeza sin levantar el culo de la silla. Maldice. La puerta se corre. El tercero sonríe, concentrado. Se frota las manos con el pañuelo para quitarles la costra de lágrimas y rimel que le dejó la mujer que lloriqueaba. Mauricio está muy raro, ¿qué tú sabes? Él la eludió y ella le trajo café en una taza temblorosa, amargo y aguado. No sé, Mireya. Yo sé que tú sabes, por tu madre, esto me tiene enferma. La evadió. Que no, mujer... Tú sí sabes, pinga, y el manotazo volcó el café. La mujer sin manos se echó a llorar. Ya casi no me mira, no me toca, no habla conmigo. Le acarició la cabeza secamente. Ya-ya-ya-ya, no te pongas así. La mujer sin manos le empapó la camisa de llanto viscoso, que le hizo reprimir un escalofrío de asco. ¿Tiene a otra? Le acarició el pelo por respuesta. Ella le agarró la cara con sus uñas comidas por la lija y le buscó los ojos. Es eso, tiene otra, lo sabía. Él suspiró. No le digas que te lo dije. ¿Quién es ella? No sé, le respondió con rostro compungido y luego comentó despacio, qué lástima, una pareja tan bonita. Apuró el brebaje. Me voy antes de que llegue, no quiero que me encuentre aquí. Ella lo miró como midiendo y él le hurtó la mirada. ¿Está enamorado? Le contestó de carretilla. Está confundido, no seas dura con él, es como un niño grande. Está enamorado, afirmó la mujer sin manos haciendo una mueca. Mírame, coño, casi le suplicó. Te estás haciendo daño, Mireya. Aquella pregunta. ¿Cómo es? No sé... bonita. La mujer sin manos contrajo el rostro. ¿Más que yo? La contempló, como comparando. Diferente. Le hundió el cuchillo hasta el mango. Es fina. Ella se quedó en la puerta, con una mano en el pecho y otra entre las piernas. Él no miró atrás.

El jarro sube una vez más. Nos apilamos contra las paredes, uno al lado del otro, brazos sudados contra brazos sudados y el vaho volviendo irrespirable el aire caliente. Los brazos se recogen, se hurtan, escapan del pegajoso brazo contiguo. ¿Qué dijo?, le preguntamos al recién llegado. Me da lástima, dice el segundo sin dejar de raspar la mancha del pantalón. La ascensorista lo mira de reojo, y murmura: *El anillo que cada nueve noches engendra nueve anillos, y estos nueve...* Frunce el ceño porque no entiende ni un carajo. El tercero suspira. No seas comemierda, le digo, y me mira como si lo hubiera golpeado con un palo. La ascensorista se seca la cara, los brazos y entre las tetas, metiendo la toallita percudida por el cuello de la blusa que dice «Max» sobre el bolsillo, y creo que también *Iron Mining*... Se fajaron ayer, nos cuenta, apretando el manoseado ejemplar de Jorge Luis Borges, *colessión Casa de la Samérica,* en cuya primera página está escrito, con tinta verde y la letra de Mauricio: «*Pero Norah, una niña, dijo: está hecho para el amor*». Recuerdo cuando me lo regaló. Aquí mismo, nos cuenta la ascensorista, él le dijo puta, y le apretó el brazo, y ella le dijo suéltame pinga, y yo les dije, caballero marrespeto. Él le dijo puta, y le apretó el brazo, y ella le dijo suéltame pinga, repetimos nosotros a coro. Pero bajito, aclara la ascensorista, y desdobla la esquina de la página que está leyendo. El ascensor abre en el mismo piso, y monta otro que se me parece, sin hacer ruido.

Buenas noches, dice. Buenas noches, respondemos todos. Miro asustado el reloj: son las nueve y media. ¿Y qué?, preguntamos. Ya, nos responde. ¿Te vieron echando el papel? No, contesta él, dubitativo. El fin justifica los medios, lo consolamos, y él le pide a la ascensorista: Abajo. Sin embargo, el panel parpadea sanguinolento y ascendemos ciegamente tubo arriba. En el último piso no monta nadie. ¿Quién será el gracioso?, ruge ella, oprime el botón y el jarrito de lata rueda a un vacío preñado de sonidos. Toda la tarde jodiendo con el botoncito y una tiene que subir porque es el contenido de trabajo. Casi sin dejar de salmodiar a Boije. Le preguntamos al recién llegado. ¿Qué pusiste? Todo, que Mireya le está pegando los tarros, que se mueve así, lo que grita durante el sexo, las cosas que a ella le gusta que le hagan... Por Dios, dice uno y se lleva las manos al rostro. Sin pajarerías, le advertimos los demás.

Estoy mareado. Se corre la puerta como una lluvia de plomo y monta un nuevo gemelo, estornudando. Barre del pantalón el aserrín, y el polvillo se difumina en el ámbito cerrado que huele a orine, a sudor y a algún líquido aromatizante. Todos estornudamos. Salú, dice la ascensorista, y se protege con el libro. Lo seca con la toallita y recrimina al recién llegado, con los ojos torcidos bajo los parches de sombra azul. Él silba y se estruja los ojos donde presumiblemente cayó una partícula de aserrín, que la mujer sin manos intentó vanamente soplar. Él le besó los labios sorprendiéndola, y ella se protegió con el martillo y la gubia. Le pidió que no hiciera eso, sin dejar de sacarle lascas al muñeco de cedro. Perdona, le respondió, porque el empujón no fue brusco y hubo un instante de suspensión, cuando nada tuvo sentido ni formas, y ella no podía hacer más que dejarse besar. El aliento de Mireya olía a alcohol. Pensarás que me he vuelto una borracha. No, contestó él y le tomó la mano. Tienes que rehacer tu vida. Una lasca adelgazó demasiado al muñeco y ella soltó una palabrota porque no tenía más madera. Piensa en lo que te dije, le susurró él antes de marcharse. Sabe que lo va a pensar, que está herida y es bruta. Solo sus manos funcionan con independencia del cerebro, para crear esas muñecas perfectas parecidas a los torsos clásicos. Como si fueran las manos de otro. Por eso le pusimos, Mauricio y yo, la mujer sin manos. Está despechada y es de las que creen que un clavo saca a otro; y él seguirá destruyendo sus defensas hasta que caiga. Solo una vez. Estará con ella solo una vez y luego se lo contará a Mauricio, alejado por los anónimos y las llamadas telefónicas.

La ascensorista nos pasa un vasito plástico con un poco de café. Mejor que la mierda que cuela Mireya. Bebemos sorbos para que alcance para todos. Beber café en esta hendija metálica es una locura. El recién llegado saca un cigarro y pasa la cajetilla, el anterior ofrece fuego. Nunca he fumado, dice el segundo. Inhalan, soplan y una nube de humo flota dentro del elevador. La negrita brota de su misa borgiana y señala el cartelito de no fumar: círculo negro, cilindro blanco, cruz de pintura roja admonitoria. Apagan o se bajan. Ellos lanzan al suelo las colillas, las aplastan con el pie y huele a terminal de ómnibus. El que echó el papel tamborilea en la pared metálica: reconocemos el compás y todos campaneamos las uñas sobre el hierro.

Estamos tocando la habanera de *Carmen*, la ópera favorita de él antes de Mireya, que es como decir antes de nuestra era, un día antes del tiempo. Cuando éramos felices, y podíamos oír la habanera de *Carmen* sin nadie que gritara jesús-maría-y-josé, ay-mamá, pero qué cultos, y batía con sus nalgas el aire tibio del apartamento. Pero qué machos más finos, y se sentaba sobre los muslos de Mauricio, para estirar una garra hasta la grabadora y poner música salsa. Él le masajeaba las rodillas y me miraba como pidiendo perdón. Me voy a estudiar, agonizaba yo. Adiós, hombre culto, ronroneaba quien se iba a convertir en la mujer sin manos, y se reía. Uno de ellos empieza a llorar. No te pongas así, le digo y lo abrazo. Tú otra vez llorando, tú estás muy mal, dice la ascensorista sin dejar de leer. Déjalo, le decimos. Quiero morirme, voy a vomitar, solloza él. La negrita saca, espantada, su nariz del libro, y le dice que aquí no puede hacer eso, nene. Acto seguido le pasa la toallita sucia, el pomo del agua, el vasito con café, y chilla tú eres joven-bonito-inteligente, esa mujer no te merece, como quien declama. Lo miramos bien, está delgado y ojeroso. Mañana recojo mis cosas y me voy, no quiero estar ahí. Uno lo mira compasivo, otro irónico, yo le aprieto el hombro, protector. Hasta abajo, le suplicamos. Pero ella repite su ensalmo, y todos miramos hacia el respiradero del techo, buscando el aire que entra por la ranura en forma de monedas amarillentas por la luz de la bombilla. Estamos atrapados. Sin salida. Infierno en la torre. Amor vertical. Qué calor, dice uno; la ascensorista lo mira y responde que esto es un horno. El elevador traquetea de un piso a otro, se detiene con un resoplido entre nuevos mazazos de metal. Otro de los pasajeros, creo que el de la mancha en el pantalón, reparte caramelos y la mujer guarda el suyo en la bolsa, donde también hay un periódico *Granma*, un creyón labial, un monedero sintético y un pedazo de pan con huevo envuelto en papel de cartucho. El ascensor se detiene en el mismo piso. El hueco de la puerta muestra el mismo paisaje: la esquina con una mordida en el mármol y el monigote de crayola en la pared rugosa. Sube, contrariado, otro que se me parece.

¿Ya?, le pregunto. ¿Ya?, le preguntan los demás. Ya. Saca un cigarro y la ascensorista le señala el cartelito de no fumar. Déjalo, le decimos. Está muy asustado, espantado casi, tiene una barba de días y en los ojos la imagen de ella hecha una furia, arrojándole cosas: los martillos, los muñecos de madera, el aserrín, los muebles, el techo, el piso, las lámparas. Ella gritándole maricón, malamigo, hijoputa; sin dejar de lanzarle cuadros, macetas, botellas, vasos, sillones, ventanas, puertas, el cielo tras el balcón. Y él escapando perseguido por los gritos de la mujer sin manos, destronada, destrozada, desolada, de impotencia y de rabia. Y él diciéndole que es una puta y que Mauricio lo sabe. Te acostaste conmigo que soy su mejor amigo, nunca te va a perdonar. Ella había reaccionado como un peleador. Fue un error, vamos a terminar, que no se entere. Él remató, sin perder el aplomo. Ya es tarde, yo se lo dije. Tenía un hueco azogado en el lugar del corazón. La mujer sin manos se tambalea y le amaga con un muñeco, aúlla. Dile que es mentira, tienes que decírselo. Le temblaba la voz cuando le contestó. No. Tú me engatusaste, cacho maricón, gritó Mireya y se le abalanzó, le arañó los brazos, le escupió los ojos. La agarró por las muñecas y a duras penas logró llegar a la puerta, arrastrarse casi hasta el elevador, que lo esperaba oportunamente. Hasta abajo, dijo y se masajeó los brazos sangrantes.

La ascensorista le mira los arañazos, las marcas de uñas en el rostro, dice échate alcohol que se infesta, y se seca con la toallita. Le aconsejamos que se lave, que se ponga yodo o alguna pomada. Eso no es nada. Él susurra que se siente mal y lo tranquilizamos. Tenías que hacerlo. ¿Y ahora?, nos pregunta, sobándose los brazos. Hay que esperar.

El elevador se detiene. La ascensorista informa el piso. Le dejo el libro que me pidió para echarle un vistazo, y camino rápido, por primera vez, rumbo al apartamento de Mauricio. Como un tigre.

Nació en San Petersburgo en 1968. En Cuba, país donde creció y reside en la actualidad, ha obtenido numerosos galardones literarios, entre ellos el Premio David de Cuento otorgado por la UNEAC. Ha publicado los libros de relatos *Bad painting* (1998), *Catálogo de mascotas* (1999), *Limpiando ventanas y espejos* (2000), *Imperio doméstico*

Anna Lidia Vega

(2005), *Legión de sombras miserables* (2005) y *El día de cada día* (2006), la novela *Noche de ronda* (2003), los libros de poesía *Retazos (de las hormigas) para los malos tiempos* (2004) y *Eslabones de un tiempo muerto* (2006), y la novela infantil *Adiós, cuento triste* (2006). Su obra ha sido incluida en numerosas antologías de narrativa en Cuba y otros países.

El día de cada día

A nosotras, que nos queremos tanto...

La sensación de estar dando cabezazos contra una pared. Tal vez has visto cómo otras personas la atravesaron sin el menor esfuerzo e intentas imitarlas y chocas y vuelves a chocar. Mi amiga Beba tiene la frente rota de tanto golpear el concreto. Cualquier día de estos le descubren un cáncer en el cerebro, la masa cefálica hecha un revoltillo. Por las noches hay que ponerle compresas frías de manzanilla u otra hierba medicinal para que baje la inflamación. Ella cierra los ojos, intenta dormirse, pensar que resbala nadando al fondo del océano. Hay una luz allá en el fondo. Sabe que cuando llegue a esa luz estará dormida, pero en la mañana no recordará si fue un cocuyo, un farol o una estrella. A la mañana, la brutal certeza de que todo vuelve a comenzar.

Todo vuelve a comenzar. No hay comida, no hay dinero, no hay ropa limpia, no hay detergente para lavar la sucia, no hay jabón para bañarse, no hay champú, no hay pasta de dientes... ¿Para qué quieres cepillarte los dientes si no hay comida? No hay dinero, no hay, no hay, no...

Mi amiga Beba se mira los ojos en el espejo. Hermosos ojos. Busca una respuesta como una luz en el fondo del océano, pero no hay cocuyos, no hay faroles, no hay estrellas. No hay. ¿Qué hace la gente para tener hermosos ojos y boca y pelo a pesar de que no hay champú? ¿Qué hace la gente? Se pasa las manos por el cuello, hermoso cuello, y tetas, y barriga. ¿Qué hace? Se vira y observa su espalda en el espejo. Hermosa espalda, hermoso culo. ¡Vender el culo! ¿Qué va a hacer si no?

Mi amiga Beba busca la ropa más limpia entre la ropa sucia. Ella tiene un socio que quizás tenga un poco de pesos, quizás le compre el culo por un poco de pesos. En realidad, no es un socio, más bien un conocido, mirar acaramelado, boca babeante, nombre insulso, Pupo o Tato, conocido mío también, por supuesto.

La sensación de que por cada paso que avances retrocedes otro. Como un estúpido baile de títeres. Pupo o Tato tiene los tobillos hinchados de tanto andar en el mismo sitio. Por las noches debe meter los pies en una palangana de agua tibia con sal. Cualquier día de estos habrá que enyesarle ambas piernas y andará dando saltos: tac, tac, con sus muletas. (También podría partírselas al caer de un peñasco que intentara escalar o en un ordinario accidente de tránsito, mientras conduce su flamante bicicleta montañesa).

Pupo o Tato mira por la ventana. Allá afuera anda la gente, toda esa gente feliz, mujeres hermosas, ninguna suya. ¿Qué hace la gente para tener? Va dando saltos hasta la cama: tac, tac, con sus muletas. Se tumba, mira el techo. En el techo tiene pegadas fotos de estrellas de cine, mujeres hermosas, ninguna suya. ¿Qué hace la gente? También algunas fotos porno, tetas desbordantes, vulvas abiertas, ninguna suya. ¿Qué hace? Tac, tac, comienza a lloviznar. Nada, ¿qué va a hacer? Esperar un golpe de suerte, una aparición divina... Tac, tac, alguien toca su puerta.

Pupo o Tato se apura en abrir dando saltos, tac, tac, con sus muletas, no alcanza a creerlo, no puede ser real, una aparición divina, un golpe de suerte, una mujer: mi amiga Beba.

Entra, estás toda mojada, te busco una toalla, tac, tac, toma esta, rosadita, luego la colgaré en un marquito encima de mi cama, junto a las fotos; ¿quieres ver mi colección de sellos?, ¿mi colección de discos compactos?, ¿mi flamante bicicleta montañesa? ¡He esperado tanto tiempo este instante...!

Mi amiga Beba tiene poca experiencia en el arte de vender el culo. Comienza con rodeos, no hay comida, dice, no hay dinero. Pupo mira sus ojos hermosos, Tato aspira su olor mágico aunque no hay jabón, no hay desodorante. Serás la reina de esta casa, lo tendrás todo.

Bien, dice ella, comienza. Él se saca la pinga, la babea abundantemente, la amasa. ¿Te la puedo echar arriba? Ella se desnuda, se quita las más limpias de sus ropas sucias, se toca, vamos, dice, qué rico.

Tac, tac, la llovizna. Tato de cara al techo no ve las fotos de las estrellas de cine, las fotos porno. Tac, tac, los muelles de la cama. Pupo mira los ojos de la mujer e imagina ver una luz allá en el fondo. Tac, tac, las nalgas contra los muslos. Te amo, dice él, soy feliz. Qué poco hace falta para ser feliz. Sí, dice ella, sigue. Tac, tac. Es molesto hacerlo con ambas piernas enyesadas. Los pelos mojados de mi amiga Beba, la húmeda piel y ese olor mágico por culpa de la falta de champú, desodorante, jabón. Las tetas desbordantes, la vulva abierta de mi amiga Beba, los hermosos ojos, las pestañas, tac, tac. La luz cada vez más cerca. ¿Un cocuyo? Espera, dice él. ¿Un farol? La riega desbocado con su leche, tac, tac, le llueve encima de la barriga y las tetas y el hermoso cuello, tac, tac, le salpica la cara. Definitivamente era una estrella.

Soy feliz, repite, mirar acaramelado, boca babeante, serás la reina de esta casa, me haces tan feliz...

No quiero ser reina. Necesito dinero. Un poco de pesos...

Por ti soy capaz de todo. Vender mi colección de sellos, mi colección de discos compactos, mi flamante bicicleta montañesa... Nos casamos la semana que viene. No, mejor esta misma semana. ¿Te parece bien el jueves?

Mi amiga Beba se limpia con la toalla rosadita, que ya está menos rosadita. Necesito dinero, un poco de pesos. Comienza a vestirse, a ponerse las más limpias de sus ropas sucias que ya están menos limpias. No hay comida...

¿Tienes hambre? Puedo hacerte un té...

Adiós, nos veremos cuando vendas tu bicicleta.

¡Mañana mismo! A más tardar, pasado mañana... Te amo. Te amaré siempre.

Tac, tac, la lluvia tras la ventana.

Mi amiga Beba camina entre los charcos, despacito, despacito, como si no quisiera llegar jamás. Piensa en su amiga Helena, todo el tiempo ha estado pensando en su amiga Helena, en ningún momento ha dejado de pensar. En el abrazo de su amiga Helena, en los ojos mudos y su gesto de resignación. Su amiga Helena (que soy yo, para ser exactos) la espera en casa, espera que llegue con un poco de pesos, allá en casa.

La sensación de estar cayendo en un pozo sin fin. Mientras más profundo, más oscuro, mientras más oscuro, más silencioso. Helena (que soy yo) ha olvidado las palabras, se ha vuelto pez. Siente que su corazón y sus vísceras hace rato se le salieron por la boca y quedaron flotando allá arriba, en la superficie del pozo, junto con todas las palabras del mundo. Cualquier día de estos tocará fondo, donde no hay luz de ningún tipo, y reventará contra las piedras. Yo, pez sin corazón, recibo a mi amiga con la expresión más inocente que logro desplegar. Has tardado, digo, como si ella hubiera ido hasta la esquina a comprar cigarros. ¿Cómo te fue? Beba se encoge de hombros, llena el cubo de agua. Estoy sucia, me quiero dar un baño. Bueno, sigue Helena (yo) con su tono muy natural, mientras te bañas, haré un poco de té, ¿tienes hambre? Beba se encoge de hombros. Sí, un poco. Es como estar jugando a las casitas. Hago sonar los trastos en la cocina, muy alto. Ya estoy limpia, ¿me veo limpia?, ella sale desnuda, el agua goteando de su pelo y sus pestañas. Se ve igual, será porque no hay jabón. Estás preciosa, quiero decirle, eres la mujer más hermosa de la Tierra, quiero decirle, pero no se lo digo. Mi voz sigue meciéndose en la superficie del pozo mientras yo sigo descendiendo imperceptiblemente.

¿Quieres contar algo?, pregunta la muda. No, contesta Beba y lo cuenta todo. O, si no todo, al menos parte de las cosas, una gran parte. Después cierra los ojos, intenta dormirse. Piensa que resbala nadando al fondo del océano. Pero no hay luz allá en el fondo. Su océano se ha quedado sin cocuyos, como si fuera el pozo de la descorazonada, se ha quedado sin faroles ni estrellas y, mientras más profundo, más oscuro y, mientras más oscuro, más silencio.

Yo abrazo a mi amiga Beba y le canto una nana tristísima. La mayoría de las nanas son tristísimas. Quisiera tener una flamante bicicleta montañesa para llevarte de paseo. Llevarte lejos, muy lejos, a un lugar donde no llueva nunca, donde nunca se llore: tac, tac, las lágrimas sobre la almohada. Si yo tuviera una bicicleta montañesa, te montaría en la parrilla y andaría por la ciudad entera pedaleando alegremente mientras el aire alborota tu pelo hermoso a pesar de la falta de champú. Si yo tuviera una bicicleta, recorrería contigo la isla entera y la gente saldría a saludarnos y nos tirarían flores, nos esperarían en las entradas de los pueblos con sus orquestas municipales, nos despedirían con pancartas, los poetas nos harían versos y los trovadores, canciones. Si yo la tuviera, la pondría a tus pies como una ofrenda, como una muestra sublime de mi amor y haríamos el amor encima. Pero no la tengo, no tengo una bicicleta, no tengo una bicicleta montañesa, una flamante bicicleta montañesa. ¿Qué hace la gente para tener? Miro a mi amiga Beba dormir, tan cerca y tan inalcanzable. No tengo nada que darle. No tengo nada, nada. ¿Qué hace la gente? ¿Qué hace?

Vender el culo puede convertirse en una obsesión. Poner anuncios en la prensa (Se vende culo / en cantidad de dos / en buen estado / tarifa razonable / se aceptan proposiciones / para más información llame al 66 00 00), imprimir volantes y pegarlos en todos los postes, en las paradas, mercados y muros. Hacer un *spot* para la radio y otro para la televisión. Usar imágenes sugerentes de la mercancía anunciada (nunca mostrarla del todo para lograr mayor impacto). Vender una bicicleta también puede convertirse en una obsesión. Ser conocido en el barrio (y fuera de él) como el imbécil de la bicicleta. Echársela al hombro para no dañar sus flamantes gomas y andar, tac, tac, dando saltos con las muletas para arriba y para abajo. Detenerse en los lugares de mayor tráfico del mercado negro, ofrecerla a un precio ridículo en comparación con su precio real (no tiene precio), pregonarla artísticamente, insinuar rebajas, insistir, fracasar, volver a insistir y volver a fracasar, un paso para adelante, un paso para atrás, estúpido baile de títeres.

Tenemos comida, tenemos ropa y detergente para lavar la ropa y jabón, champú, desodorante, pasta de dientes y perfumes. Tenemos un poco de pesos, siempre hay alguien que suelta un poco de pesos por un culo, o dos. Tenemos un poco de pesos, pero no los suficientes. Nunca son suficientes. Aún no alcanza para comprar una flamante bicicleta montañesa.

Deberíamos parar, dice de vez en cuando mi amiga Beba con la mirada opaca de sus hermosos ojos. Tiene toda la frente rota de tanto golpear el concreto. También todo el culo roto. Por las noches hay que ponerle compresas frías de manzanilla u otra hierba medicinal para que baje la inflamación.

No puedo, responde Helena y la abraza, no puedo parar. Sigue en su caída libre, no hay quien la detenga. Cualquier día de estos tocará fondo y reventará contra las piedras.

De vez en cuando me encuentro a Pupo, mirar acaramelado, boca babeante, con su bicicleta al hombro: tac, tac, dando saltos rumbo al mercado. ¿Cuánto?, le pregunto. Esa es mi vida, dice Tato, es mi corazón. Me encojo de hombros. Mi corazón hace rato que se me escapó por la boca y quedó flotando en la superficie del pozo, allá en lo alto, donde muy tenue brilla una luz que podría ser un cocuyo, un farol o una estrella.

A la mañana, la brutal certeza de que todo vuelve a comenzar.

Nació en Pinar del Río en 1973. Licenciado en Filología por la Facultad de Artes y Letras de La Universidad de La Habana, ha trabajado como editor e impartido cursos en universidades dentro y fuera de Cuba. Ha obtenido, entre otros, el Premio Hermanos Loynaz de Poesía en 1994, el Premio Calendario de Poesía en 1996, el Premio de Cuento de La Gaceta de Cuba en 1999, el Premio de Poesía de La

José Félix León

Gaceta de Cuba en 2000 y el Premio Dador del Instituto Cubano del Libro. Entre sus publicaciones se encuentran los libros de poesía *Demencia del hijo* (1994), *Donde espera la trampa que un día pisó el ciervo* (1996), *Correos/ Bosques intermedios* (1997), *Patio interior con bosque* (1999) y *Palinodia* (2008). Sus poemas y cuentos han aparecido en diversas antologías. Actualmente reside en Barcelona.

El dolor

Los nombres

Kéa. Siros. Tinos. Míkonos. Delos. Kithinos. Sérifos. Paros. Naxos. Sifnos. Keros. Ios. Milos. Polyaigos. Amorgos. Folégandros. Thira. Anafi.

El verano destruye las flores que nacieron de los bulbos plantados hace meses. Ahora se recogerán hasta el próximo año. ¿Por qué pensar en las islas? El olor a Mediterráneo, los ficus que se agitan sobre las terrazas de la acera, su rostro en el vidrio de la tienda de ropa, su aroma súbito en mí. Las islas.

Viene chorreando agua de mar. Dice que ha leído el cuento. Que no es un cuento. Que la historia está inacabada y puede continuar. Así, sin más. Luego recoge su bolso y se despide con un movimiento de la mano rumbo a las bicicletas. Antes de tomar la pendiente del hotel gira la cabeza y sonríe. Continúa la historia, dice.

§

El dolor

Non ci aspetteranno più
Né Parigi, né Vienna,
Le allegre passeggiate
In quella baia del Sud...
...troverai qualcun'altra a cui chiedere:
Portami vicino al mare
Carmen Consoli

Aquel verano se enamoró.

Antes había construido el amor. Esta vez fue un golpe de mar, la agitación de una paloma que voló ante su rostro en un callejón del Barrio Gótico.

Sucedió una noche.

Lo había visto antes. Era dos palmos más alto que él. Se llama Filippo, dijo alguien, es siciliano. Pero la señal no llegó en ese momento ni después. Ni siquiera cuando levantó la vista en el bar donde trabajaba de camarero y encontró su mirada. No lo supo hasta mucho más tarde.

Hubiera querido tomar el avión a Atenas, un vuelo *low cost*. Visitar las islas. Entrar al mar, pasar los días solo, sin encontrar los rostros tremebundos que lo perseguían tras la barra. Hidra. Naxos. Otra vez El Pireo. Las cestas de naranjas y el mercado de peces. *Parakaló*: su palabra mágica.

Cuando regresó había terminado el contrato de trabajo. No volvió al bar. Evitó la esquina sombreada por los toldos verdes estilo New York. Evitó aquella plaza. Evitó hasta la Moritz, la cerveza que vendía en el local. A las dos semanas regresó y vio las luces desde lejos, el bullicio de la gente en la terraza, los camareros nuevos que corrían entre las mesas.

No lo pudo soportar. También aquí he fracasado, pensó. Cruzó la calle y entró en la discoteca. Una discoteca gay. La más famosa en la ciudad.

Era domingo y había poca gente. En la sala más grande pinchaban éxitos del ayer. Prodigy. Chemical Brothers. Temas que traían la brisa fresca de Alamar, su barrio en La Habana, el sabor a salitre y los toscos edificios derruidos: el encanto de lo que pasó. Grabaciones del Sexteto Matancero un domingo a las seis de la tarde, vinilos de los años sesenta: Lucho Gatica, Olga Guillot, la voz de Freddy y su misterio literario. La música le recordaba los cuentos de Anna Lidia Vega y las tardes con Roberto.

Seis cervezas doble malta. Sabor amargo y apretado. Bailaba en una esquina sin atender a la gente que lo rodeaba. Solo. El mar. Las rocas de la playa en Hidra. El barco de pescadores junto a él. Los rostros oscuros. Allí estaba. Pensó que lo conocía de algún sitio indefinido. Hola, dijo, ¿te acuerdas de mí? Y acto seguido lo invitó a seguirlo al lavabo. Es alto, es hermoso. El chico que lo acompañaba —brasileño, torso desnudo y lampiño— preparó las tres rayas sobre su cartera. A la salida Filippo le preguntó si podía besarlo. El brasileño no estaría ya en sitio alguno, habría desaparecido. Habría desaparecido también la discoteca, la cara triste del mulato que extendía los *tickets* a la entrada, la música de Alamar. Meses después no sabría decir quién le pidió el beso a quién, pero ya no tendría importancia.

Y la escena se repitió. Baile. Lavabo. Raya. Beso. Baile.

Vamos a mi casa. ¿A hacer qué? No sé, tal vez fumar un porro. Las calles del Gay Eixample desiertas a esa hora. Hablaban del estado del tiempo. De vivir en la ciudad, de

Carmen Consoli, de lo bueno que era siempre allí el transporte público y otra vez de Carmen Consoli, de Lipari, de Stromboli, de su pueblo en Catania, de las letras increíbles de Carmen Consoli. *Narciso, parole di burro, si sciolgono soto l'alito della passione. Narciso, trasparenza e mistero...*

En el ascensor se miraron a los ojos por primera vez. Bajo la agobiante luz blanca de neón los de Filippo serían verdes, profundos, de una belleza insólita. Él no sabría nunca ubicar aquellos ojos, son como los de mi padre, fondo coralino en María La Gorda, praderas submarinas de posidonia en una cala de Menorca. Y pensó en la estación de trenes de Milán, su primer viaje a Italia, en la publicidad de ropa interior masculina de Dolce & Gabbana, en Il Duomo gris y aquel día de invierno. Más tarde los ojos de Filippo serían todo eso, girasoles, *i papaveri*, la hierba del prado de Scordia, el azahar, la fragancia fresca de una colonia cara.

Pero en el ascensor tampoco lo supo.

Entraron al piso. Él abrió la puerta de su estancia y se amaron sin hablar, apresuradamente, un acto casi mecánico que no duró mucho tiempo, apenas el necesario para desnudarse. La habitación iluminada solo por una lámpara de luz roja, las toallitas húmedas marca Caprabo, el olor a sudor y sexo.

Luego la madrugada última en su regreso a casa, el Arc de Triomf desierto y su cama vacía, la atmósfera del piso viciada por los pelos del gato. La resaca intensa del alcohol.

No podría recordar el segundo encuentro. Fue en el bar, en cualquier bar. Y surgió aquello que los mantuvo meses unidos, una extraña dependencia sexual que él interpretaba a su manera y Filippo a la suya. Dos almas solas. Dos almas que ni siquiera así llegaron a encontrarse.

Una tarde escuchaba a Gigliola Cinquetti, se dejaba vencer por el discurso bellísimo en italiano y los ojos de Filippo llegaban a ser el paisaje último de su vida. A veces deseaba no haberlo encontrado en aquella discoteca, no entendía su voracidad por los clubes nocturnos, las salidas constantes, sus miradas a otros hombres, los miles de contactos en Facebook, las fotografías que colgaba en su página. Pero aún así continuaba. Al principio intentó entrar en el mundo del otro, pero Filippo no aceptó la injerencia en su universo personal. Apenas se asomó a la ventana de su vida, dijo hasta aquí y resultó infalible su gesto despectivo. Tampoco se sintió atraído por cosas como un armario lleno de ropa de marca o las historias vulgares de la mariconería: los cafés del barrio gay de Barcelona, las tardes en las terrazas donde todo estaba estudiado milimétricamente, desde el color de la correa del perro a la camiseta de moda o el ademán último aprendido en la coctelería del momento, la depilación corporal o las tandas inacabables de gimnasio.

No era ese el camino de su encuentro.

Solo llegarían a conocerse en la intimidad.

Habrían olvidado todo. Se comían uno al otro. Se tragaban a trozos. Suave, insensiblemente. Intercambiaron saliva, semen, virus, intercambiaron la sangre y los desperdicios de sus cuerpos. Y cuando no tuvieron nada que intercambiar, descubrieron que no se conocían. Que en realidad no añoraban conocerse de otro modo que de aquel, algo completamente impersonal.

Fue entonces cuando él empezó a sufrir.

Eran sus complejos. Las noches en que despertaba sin saber exactamente dónde se encontraba —¿estoy en Pinar, en Jesús María, en el cuarto del piso dieciocho de la beca, en Barcelona?—, la fragilidad de los amores de paso. Era el sufrimiento que causaba la ciudad, el país extranjero, su incapacidad para encontrar un trabajo de acuerdo a su nivel intelectual, las noches en autobuses por las calles desiertas rodeado de inmigrantes, como él, que volvían a sus remotos hogares. Europa lo fundió.

La única salida a aquella situación fue la inexorabilidad de los encuentros, el sexo siempre mejor, las confesiones íntimas a la luz de la lámpara roja. Todo lo que acontecería antes de que se abandonara a la idea de que el otro no sería nunca un compañero más que para el sexo y eso ya lo consideraría muchísimo, como si el marco de su relación fuera solo sexual: lo contenía todo, condicionaba el espacio de su brevísima vida en común. Estados alterados por la verdad. Por las cosas que no le dijo nunca al *ragazzo* italiano, por el alcohol, la noche, las drogas, los boleros puertorriqueños, la ropa interior Calvin Klein, los excesos, caricias ante un edificio de oficinas repleto de empleadas en el salón de la casa de Filippo, la necesidad de empezar a trabajar, las colas del INEM, las mensualidades del paro, la fiesta de San Juan, La Boquería, la vida en la ciudad, en fin. Todo el dolor.

Entonces quiso volver a las islas y era invierno.

Un remoto barco de pasajeros sobre el mar azul pálido.

La costa rocosa, desgastada por siglos de civilización.

Las olivas amargas en un mercado de pescadores.

Imagina redes colgadas al final del muelle. El agua cristalina. El olor a sal sobre su cuello.

Imagina las formas de la perfección dibujadas en su cuerpo. Imagina el aire sano alrededor de los hombros, la belleza, su belleza por encima de la belleza superior. Imagina todo eso y luego campos amarillos camino de Girona. La mies apilada en medio de esos campos, una canción de Coldplay y una versión de *Tabú* por Bebo Valdés. Imagínalo solo, debía olvidarse para siempre del amor, el mismo que había descubierto unos meses antes. Debía borrar aquel amor y pensó que además de viajar, una buena manera sería contarlo.

Y he aquí en medio de la nada, en el tren desierto, una manera de matar el amor: comienza a escribir.

Había conseguido ahorrar por primera vez en años y visitó las islas, el Peloponeso, Heraclión. Era el encuentro con un mundo soñado a través de textos, sus poetas ya casi olvidados en las estanterías volvieron a sonar en la antigua lengua. Alcmán, Estesícoro, la palinodia desgastada donde Helena desmiente la historia de la guerra, los partenios, el olor a mar de Arquíloco, las telas de colores de las muchachas de Safo.

Regresó a Barcelona sin dinero y feliz. Había conectado con un tiempo anterior a su tiempo, con un mundo que habría querido para sí. Volvió a leer a Platón. Y la historia por vez primera tuvo un final feliz.

A su vuelta las manos de Filippo se abrieron y mostraron las herramientas del actor. Ya no estaba. No volvería a estar nunca para él más que en la historia que contaba, la suya propia, la historia de una pérdida. Los cubanos, escribió en su diario, fuera de Cuba somos gente desorientada, tal vez lo que nos distingue del resto de los mortales es una innata capacidad para sobrevivir a todo y para la búsqueda del amor.

Era posible una fábula sin final, ni feliz ni lo contrario. Él lo sugirió. Fue muy simple. Solo dijo en su español macarrónico: hay cosas de ti que me gustan mucho, pero hay otras que me matan.

Lo había perdido todo. Se consoló pensando en el parecido de Filippo con Malena, el personaje de una película de Tornatore, ambos sicilianos, ambos criaturas con una historia personal triste y el alma devastada por algo que no llegó a descubrir. Los silencios de Filippo eran intensos, una tarde le había contado los horrores de ser un tipo como él, amanerado, hermoso, frágil y a la vez deportista —llegó a jugar en el equipo de voleibol de Catania— y vivir en un pueblo del interior de Sicilia. Yo soy de Italia, dijo, nosotros nacemos con la religión católica grabada a fuego sobre la frente.

Se encontró solo otra vez en la ciudad.

Intentó dormir. Intentó leer una novela que se le había resistido durante años. Lo sorprendió una ráfaga de aire en el muelle del puerto y le arrancó varias páginas del texto que escribía. Vio las hojas amarillentas y el dibujo de su caligrafía hundirse en el agua plagada de peces.

Y entonces decidió reescribir la historia. Cambiar el guión que no había sido capaz de actuar en su vida. Buscó a Filippo entre las páginas de un cuaderno y viajaron juntos a Menorca. Alquilarían una habitación en una calle frente al mar. Pasarían días enteros juntos sin dirigirse la palabra, sin experimentar más que el olor del otro, la textura de la piel, el sabor de las uvas amargas (Carmen Consoli: *Uva acerva*). Y así la historia dejó de existir en el plano real y se ubicó en un espacio que él podía controlar a su gusto. Comenzó a escribir a mediados del verano, eso era lo más significativo. En unos meses ni siquiera recordaría el salto del amor, no volvería jamás a uno de aquellos bares del Eixample gay, no hablaría italiano durante un tiempo, no escucharía las canciones de Carmen Consoli y Franco Battiato. Así de rara sería la historia de su último amor. Pensó.

Filippo se confinó en su mundo de la noche. Los clubes. Las discotecas. Madrugadas en *afters* de toda Barcelona. Sexo, droga y *rock and roll.*

Él fragmentó la historia y probó durante un tiempo a dejar pistas en su página de una red social, un texto dentro de otros miles de textos, el perfume de una historia que los amigos comentaban ávidamente sin sospechar de qué se trataba en realidad.

16 de julio, 10:14. Duffy: *Delayed Devotion, Rockferry.* Sitges: callecitas blancas que acaban en el mar. Azul pálido. Geranios sobre la cal. Maderas de Cuba en la iglesia. Afuera el imperio de los cuerpos y el mar.

18 de julio, 12:23. Playa. Playa. Empuriabrava. Cap de Creus. Desayuno: pizza de anoche y zumo de piña. Tres días sin salir del mar. Una vida entera allí.

29 de julio, 13:09. Azul pálido mediterráneo. Sorbete de mandarina. Una bicicleta. Un bañador. La avenida que baja de mi casa al mar, con sus toldos y pequeños negocios. Serrat: *Paraules d'amor senzilles i tendres...* Me voy a la costa. No pensaré más en ti.

4 de agosto, 14:32. Starbucks. Asepsia. Banda sonora en portugués. Dos chiquillos franceses. Ropa de H&M. Café helado sin sabor a café. ¿Qué se puede hacer con la gente que muere?

5 de agosto, 18:08. Parc de la Ciutadella. Niños. Gente de Escandinavia tomando el sol. Andará por ahí, piensa, por las Islas Eolias. El volcán. Aquellos azules. Vuelan dos palomas. El amor tiene más que ver con el vacío.

6 de agosto, 18:36. La tarde es la luz oblicua de este sol que no quema. Otra vez el parque. No pensar. Volvió. No era el mismo. Tampoco yo. El zumo de arándano mancha la camiseta blanca. Dos cartulinas de Catania. Maria Rita: *Tá perdoado.*

8 de agosto, 13:52. Kéa. Tinos. Míkonos. Siros. Kithinos. Paros. Sifnos. Naxos. Keros. Ios. Milos. Folégandros. Amorgos. Santorini. Vuelos hasta Atenas, 25 euros. En septiembre a las Cícladas. Un barco de velas y una playa rocosa en medio de la nada.

El tren se adentró en la Cerdanyola catalana. Coldplay: *Green Eyes.* Por vez primera disfrutó ser hombre y estar solo. Los había imaginado alguna vez y ahora corrían tras el vidrio. Campos secos. Mies apiñada en esos campos. Una imagen terrible.

Allí otra vez.

El dolor.

Nació en Fomento, Sancti Spíritus, en 1970. Licenciado en Letras por la Universidad de La Habana, Máster en Estudios Lingüísticos-Editoriales Hispánicos por la Universidad Central de Las Villas y miembro de la UNEAC, ha publicado los libros *Cuentos Frígidos* (1998), *Sibilas en Mercaderes* (1999), *La sobrevida. Algunos relatos* (2006) y *Granos de mudez* (2009). Ha recibido el Premio Dador de

Pedro de Jesús

Ensayo en 1995, el Premio Alejo Carpentier de Cuento en 2006 y el de Ensayo en 2014, el Premio Raúl Ferrer de Poesía en 2008, la Primera Mención en el Premio Iberoamericano de Cuento Julio Cortázar en 2012 y el Premio de Cuento de La Gaceta de Cuba en 2013. Varios de sus relatos han sido traducidos al inglés, francés, alemán e italiano, y han sido publicados en antologías de Cuba y Europa.

Fiesta en casa del Magíster

Hay un modo de evitar que se parece a la búsqueda
V. Hugo

Ahora tendré el gusto y la felicidad de alegrar tu tarde, Magíster. Bien sé yo que a veces no cocinas y mal te hartas con restos de comida del día anterior. Bien sé yo que cocinar es para ti una fiesta; tiene que serlo o renuncias. Y una fiesta, Magíster, exige de otros que se atraigan o crean o finjan atraerse —nadie como tú conoce tales declinaciones de la atracción—.

Una fiesta requiere de invitados que se instalen nerviosamente en los taburetes y, entre roce de las piernas y manoseo de las entrepiernas, acepten las papas fritas del rebosante plato que ofreces como aperitivo.

Una fiesta reclama que vayas vigilando la salsa del pollo a la *villeroi* mientras observas cómo La Veneno se La saca de los chores al que dice llamarse El Cangre y ser de Camagüey. Llevas a la boca unos granos de arroz y compruebas que están a punto en el instante en que La Veneno, genuflexa, se atraganta con El Cangre.

Es una fiesta innombrable, Magíster, picar los tomates maduritos en rodajas casi idénticas, gozar el contraste con el blanco de la col meticulosamente trucidada y las franjas verdes del ají y el polvo naranja de la zanahoria, que rallas con beneplácito porque estimas la exquisitez de esparcirlo sobre el resto de los colores.

Qué fiesta imaginar la mesa maná, la mesa cáliz. Qué deleite el vislumbre de las fuentes y platos convertidos en fuentes y platos en virtud de tu hazaña. Qué fiesta, Magíster, el momento en que la tarde empieza a alcanzar su definición: la hora de la mantequilla.

Sacar del refrigerador el pomo con nata de leche congelada, fruto de la acumulación diaria, es la señal. Pura, de vaca Holstein, dices; y ellos pasan de los taburetes a la cama grande: la pequeña, que está al frente, es para ti. Para que te sientes, jarro y cuchara en mano, a batir la nata.

Nada hay en el mundo más regocijante y misterioso que hacer la mantequilla uno mismo, Magíster.

Ablandar esa masa díscola y blanca. Hacer que surja de lo ya domesticado y aún grumoso, algo cada vez más terso y otra vez rebelde. No cejar, seguir hostigando a esa resistencia; obligarla a que de sus entrañas emane el líquido que otorgaba la albura primigenia y vaya tornándose cremosa, amarilla. Echar agua, lavarla, como si lo blanco eyaculado no saciara sus afanes de purificación y exigiera más, más, más, hasta hacerlos redundantes y estériles.

Lo tuyo es la mantequilla, Magíster. Nada hay en el mundo más regocijante y misterioso que hacer la mantequilla uno mismo.

Por eso siéntate y bate. Ve transitando de una fase a otra de la mantequilla al compás de La Veneno y El Cangre.

Delante de la cama La Veneno se inclina. Apoya la diestra en el borde, separa las nalgas con la zurda. Erecto a medias, el Ser del Cangre se esfuma de sopetón, como por magia, en el agujero. Hierática, La Veneno soporta las embestidas. Declama, cabizbaja y los ojos entornados, el eterno repertorio de bocadillos: que si Aquella Es La Más

Grande, La Más Rica, que si Él Es Su Macho y Ella, Papi, Sería Para Siempre De Él.

El Cangre disfruta mirando su Ser en movimiento.

Nadie, ni tú mismo, Magíster, atiende al misterio de la nata mutándose en mantequilla. Bates y bates automáticamente, seguro de la regularidad del proceso, ajeno a lo singular de aquella concreta y única nata que agitas incansable.

La Veneno rompe el ensimismamiento narcisista del Cangre sugiriendo otra posición. Él, displicente, se La saca. Sentado en la esquina echa el tronco hacia atrás para que La Veneno limpie sus propias heces con la lengua y después La succione haciéndoLa aparecer y desaparecer mientras él disfruta el espectáculo con la nuca sobre una almohada que ha descubierto y doblado *ad hoc*.

Pero El Cangre se aburre: La Veneno La engulle completa y él solo alcanza a contemplar la abundante cabellera de la glotona en su monótono parkinsoneo. Es mejor si, a una orden, La Veneno desecha las degluciones profundas y ejecuta simples amagos. La mirada del Cangre puede entonces recrearse en el prodigio de las semimuertes y semirresurrecciones alternas de su Ser, majestuosas epifanías.

Nada hay en el mundo más regocijante y misterioso que hacer la mantequilla uno mismo, Magíster. Nada como ese instante en que sin mirar (no tienes que mirar), tu avezada, sensitiva mano, intuye que la transmutación está al suceder, que bastaría un movimiento más para que el jugo, la bendita savia, se derrame en el jarro.

Por eso detente. El Cangre exige que La Veneno se le siente encima; ella vuelve a virarse, y encajándose y aparentando desencajarse, permite al Cangre la emoción de comprobar que es suyo lo que encaja, inobjetablemente de él lo que lacera. La Veneno no puede, como tú, detenerse. Aprieta los párpados, se descogota, tensa los brazos. Húrtase, se quiebra, gira. De su fláccido apéndice brota un flujo espeso que embarra el piso.

Ella no puede detenerse, Magíster. Debe continuar aunque haya quedado laxa, a cada encajamiento más laxa y ajena, y un ambiguo malestar, quizá un ardor, la induzca por instantes a la claudicación.

Ahora menos que nunca se detiene. Es el inicio de su apoteosis: finge que llora, recita con énfasis renovado el repertorio de bocadillos; pide al Cangre que La Golpee, La Mate. Él se desentiende, sabe que las peticiones son formas oblicuas de conminarlo a terminar. La Veneno se zangolotea con artes más esmeradas; insiste en que la maltrate, Coño, Le Dé Leña, Él Es Su Macho, Ay, Se La Meta Y La Mate, Papi, La Mate. Ella Lo Que Quiere Es Morir Con Él Adentro.

El encajador se ofusca. Irguiendo el tronco asesta un puñetazo, Maricona Trágica, en las costillas para que haga silencio. Pero la encajada, Ay, Su Mamá, Mirara Su Mamá Cómo El Marido Le Estaba Dando, se dobla sobre sí, mártir adolorida, Ay, Mamá, las palmas en el piso, contorsionista, inmóvil, forzándolo a pararse, Ella Quiere Más, Más Golpe Y Más Cangre, que Su Mamá Vea Cómo El Marido La Maltrata, Ay, Y Se La Tiempla.

Él se echa hacia atrás y del bolsillo desenfunda un cigarrillo, lo prende y se incorpora. Furioso e inclemente, sin ánimo ya para entregarse a narcisismos, obedece: mueve la cintura con rabia mientras quema la espalda de La Veneno.

Nada hay en el mundo, Magíster, como lo que ansías: ese último estertor de tu mano con la cuchara, ese rictus que rezuma cansancio y júbilo; ese gesto triunfal que La Veneno —los ojos lagrimeantes y el cuerpo sudoroso, ya blando, casi en el umbral de la aponía—, reclama del Cangre exigiendo que La Preñe, La Preñe, con voz de ultratumba.

El Cangre se zafa y empuja a La Veneno, que cae, desmadejada y plúmbea, al suelo. Con el pie desnudo la posiciona según su antojo: ver íntegra la espalda que ha chamuscado, amasarse El Ser, oprimirlo, contemplar cómo lo que se desparrama sobre las quemaduras es suyo, absolutamente de él La Emanación.

Lo tuyo, Magíster, es la mantequilla; observar el líquido en el jarro, corroborar por enésima vez que el blanco se torna amarillo y los grumos, una crema. Indicas el baño con el dedo, incitándolos a lavarse mientras tú, en la sala-comedor-cocina, echas y botas y vuelves a echar agua a la mantequilla, como si lo blanco eyaculado no saciara tus afanes de purificación.

Cuando los comensales estén limpios entonces servirás la mesa, con los platos y las fuentes y los cubiertos todos. Bien sé yo que cocinar es para ti una fiesta; tiene que serlo o renuncias. Y una fiesta, Magíster, exige de otros, La Veneno y El Cangre, que se atraen o creen o fingen atraerse.

¡Buen provecho!

Nació en Holguín en 1975. Miembro de la Unión de Escritores y Artistas de Cuba, ha publicado los poemarios *El traidor a las palomas* (2002), *Vals de los cuerpos cortados* (Premio de la Ciudad de Holguín), *Yo me llamaba Antonio Broccardo* (Premio Alcorta), *Esquema de la impura rosa* (Premio Anual de Poesía América Bobia), *Golpear las ventanas* (Premio Pinos Nuevos), *Salón de última espera* (Premio Calendario), *Los silencios profundos* (Premio Nacional de Poesía

Luis Yuseff

Adelaida del Mármol), *La rosa en su jaula* (Premio Oriente de Poesía José Manuel Poveda), *Los frutos de Taormina* (Premio José Jacinto Milanés de Poesía) y *Aspersores* (Premio Nacional de Poesía Nicolás Guillén). En 2009, recibió el Premio de Poesía de La Gaceta de Cuba por *Dolor de la resurrección.* Sus poemas han sido publicados en varias antologías, revistas y periódicos de Canadá, México, España y Nueva Zelanda.

Nuestra casa llena de sol

...mi vida es una fuga y todo lo pierdo y todo es del olvido, o del otro
J. L. B.

Ella leía a Borges sobre la poltrona, entre bocanadas de humo y tragos cortos de té de jazmín. Desde temprano estuvo recogiendo la casa. Puso en su sitio las sandalias, medias blancas y camisetas de Él. Quitó telarañas. Con un pañuelo sobre nariz y boca, acomodó el librero. Cepilló prolija los muebles de mimbre. Advirtió la presencia de trazas. Alarmada, volvió al librero, sospechando que sus preciados volúmenes habían sido pasto de los insectos. Por suerte, permanecían intocados. «Menos mal», dijo para sí. Volvió a los mimbres y los sacó media hora al sol.

Antes decidió poner música. Sobre la placa negra, la aguja de diamante saltó al segundo surco. Una voz trasnochada arañó la penumbra de la sala.

Cuando el piso estuvo seco, regó por las esquinas veneno para las hormigas. Terminada la limpieza, se duchó. Rasuró piernas y axilas. Puso crema en codos y talones. Después se cubrió con una bata blanca. Prendió incienso y encendió un cigarrillo. Leyó a Borges.

«Ellos se abrazaron, casi llorando. Yo esperaba a mi esposo, que debía llegar en ese mismo tren», le diría su mejor amiga, pero no era verdad. Ellos se abrazaron como se abrazan los hombres: con un estrechón de manos bien ruidoso, seguido de un par de palmadas contra las espaldas y algunas frases hechas, para volver a sus posiciones estratégicas. Los cuarteles de la hombría.

Cuando Él abrió la puerta, ya Ella había visto al Otro. Sintió un ruido en el portal. Miró a través del enrejado. Y allí estaba.

—¿Quién será?

Entraron a la sala. La encontraron de pie junto a la puerta, con cara de admiración, más que de curiosidad. El Otro fue presentado inmediatamente. Asuntos de trabajo, lejos de la casa, y problemas con el hospedaje, fueron explicaciones suficientes para que se entendieran las partes.

Él bromeó sobre la letra de la canción que se escuchaba de fondo. Ni Ella ni el Otro entendieron el chiste, pero sonrieron con caras de inteligentes. Cuando el inesperado huésped comenzó a sentirse cómodo, se arriesgó a comentar cierto parecido entre Ella y su hermana menor. Y, sin esperarlo, la atrapó con un abrazo cariñoso. La cabeza del muchacho, olorosa a vaselina, le había recordado los días de su adolescencia, quizás los primeros juegos eróticos. Se estremeció y lo apartó delicadamente.

Él prendió un cigarrillo y le pasó la caja al Otro, que ya desplazaba un brazo frente a los ojos de Ella.

—Gracias. No fumo.

Mentía. La delataba el cenicero, donde se apagaba uno de los mentolados. «Mis favoritos...», le confesó algunas semanas después. Pero el Otro no había reparado en el detalle; así que fueron hasta los muebles de mimbre y estuvieron conversando hasta que el Otro sintió algo de sueño. Echó una mirada alrededor, y descubrió en una esquina el mueble mullido. Desde ese instante, aquel fue su puesto de gobernante; el lugar donde decidiría cada paso futuro. Se echó sobre la poltrona; detrás de la nuca, un brazo le servía de almohada, mientras la mano libre se movía de las entrepiernas al rayo de sol que iluminaba el mar negro de su pecho. Ella lo estuvo mirando cuando se quedó sola. Al rato, Él regresó con algunas ensaladas, una docena de rosas rojas y una caja de velas.

Esa tarde cocinó para tres, supervisadas las labores por Él, que miraba, cada vez que podía, el cuerpo yacente en la sala. Desconectaron el teléfono y la cena transcurrió en una atmósfera apacible, con algunos intercambios de miradas que hacían más íntima la conversación.

Era domingo. El reloj de pared dio las siete. Había escuchado ruidos extraños en la casa, inusuales para esa hora de la mañana. Él todavía dormía a su lado, medio cubierto por la sábana; por eso no podía explicarse el goteo de la pila del agua, el mecanismo de descargue de la taza accionado, ni el ruido del gas a presión, ardiendo en la llama azul de la cocina.

La memoria del Otro se había disuelto con el sueño.

Cuando llegó a la cocina, lo encontró de pie junto a la meseta recubierta con losas amarillas. Tenía las piernas cruzadas y ceñidos los muslos por el *blue jeans* recortado a pocos centímetros por debajo de la ingle. A la altura del pecho, comenzaba una llovizna negra que se escurría por las caderas, para reaparecer nuevamente entre los flecos colgantes del *short.* Tenía el pelo húmedo, perfectamente peinado. El olor de la vaselina se mezclaba con el del gas y el aroma dulzón de las picualas.

La idea de regresar a la habitación quedó completamente olvidada.

—Acabo de nacer —dijo el Otro para referirse al efecto reparador que el sueño había tenido en él.

Y realmente parecía acabado de nacer; pero no del vientre cálido de una madre, sino de un cielo cruel, acompañado de redobles de campanas, toques de cornetas y lluvias maldicientes. «Así nacen los ángeles», pensó Ella. Y la lengua se le hizo un nudo, al esforzarse por recordar las citas de Rilke que a Él le gustaba repetir, sin importarle demasiado las marcas de géneros.

—La Belleza no tiene sexo —había dicho Él alguna vez.

—Terrible —le había respondido Ella, convencida de que nada más había que añadir.

«Terrible» fue también su único comentario. Sintiéndose ridícula, trató de disimular.

—Seguro tienes hambre...

Pero el Otro había condenado de antemano sus esfuerzos de ama de casa. Ya podía reconocer los potes del azúcar y los mecanismos del cierre, necesarios para evitar las hormigas. Dominaba el encendido de la tostadora, batidora y juguera. El giro obligatorio para que la pila dejara de gotear. Sabía escoger, entre muchos, los paños naranja con cenefas azules para secar cada una de las piezas, y los retazos de franela para pulir el enlosado amarillo. Los desechos sólidos, en el cubo plástico de la terraza; los líquidos, jamás vaciarlos por el fregadero. El Otro era hábil. Sin dar tiempo al asombro, le sugirió que fuera a despertarlo para desayunar juntos.

Frente a los tres, una mesa servida se ofrecía para el disfrute del cuerpo y de las almas. Dos tazas verdes para ellos; para Él —en la cabecera— la taza azul con dragones y, junto a cada taza, una cucharita de plata, reservada por Ella para ocasiones muy especiales...

—Esta es una ocasión especial —lo elogió Ella, y el Otro agradeció con desenvoltura.

Él era dueño de una extraña felicidad, aguijoneada por la imagen del muchacho, rasurado con la dedicación que exige dibujar los caminos de una barba casi adolescente.

El domingo siguiente, después del almuerzo, Él lo invitó a la calle, pero el muchacho pidió fregar. Ella se resistió sin éxito y, una hora después, los vio desde la terraza, caminando sobre una alfombra naranja. Se sentaron bajo el framboyán. Allí conversaron cada vez que Él volvía del trabajo y el Otro ya se le había adelantado veinte minutos, una hora, dos, hasta hacer cada vez menor el tiempo que permanecía fuera de la casa.

Cuando el Otro decidió no volver al trabajo, Él se fue tranquilo para la Universidad; pues Ella permanecería acompañada. Así dijo durante la cena. Ella no preguntó sobre el asunto. No le interesaba. De lo contrario, unas pocas explicaciones del Otro, apoyadas por Él, bastarían para que no volviera a hablarse sobre el tema.

El Otro ya era de la casa y asumió con responsabilidad las obligaciones de Él, hasta las más sencillas. Desyerbar el jardín, apuntalar el cercado, abrir zanjas para el drenaje del patio. A Ella le gustaba contemplar de reojo el torso desnudo, rezumando al solazo, y Él hacía lo mismo.

Se vigilaban.

El Otro se hizo necesario. Pronto controló las economías. El salario de Él y las mesadas de Ella eran destinadas a las inversiones que el Otro consideraba de primer orden. Sugirió cambiar los muebles. Sacar de la casa el librero de

Ella y guardar los volúmenes en cajas, que fueron llevadas al zaguán. Dijo que estaba bien, pero sintió cierto frío en el estómago cuando una de las cajas tiró al suelo las macetas de orquídeas florecidas. Esa noche cenaron en silencio. Poco antes, Él había visto pasar al Otro hacia el baño, envuelto en la toalla azul. Para justificar el vistazo, le pidió el frasco de colonia, supuestamente olvidado sobre el lavamanos durante el afeitado.

Esa —como otras tardes— la habían dedicado a escuchar la música de Ella, pues Él tenía un mundo de silencio y el Otro se limitaba a escuchar; jamás sugerir: soportaba estoicamente las largas sesiones con Chavela, Freddy o La Lupe, y los silencios cómodos de Él, interrumpidos solo por alguna observación, comentarios sobre un libro interesante o citas que celebraban su belleza, preferiblemente en ausencia de Ella. Entonces volvía contrariada, como si hubiera descubierto secretas maniobras. Se sentía excluida. Lo mismo Él, cuando a la vuelta de la Universidad la encontraba de fiesta, celebrando los chistes del Otro. Eran infames, pero se sumaba al dúo de carcajadas; eso se parecía bastante a la felicidad.

El tercero los unía.

La noche en que entró la rata a la cocina, Ella gritó despavorida y se echó en los brazos de Él. El muchacho agarró un trapeador y estrelló contra la pared la cabeza del animal. La sangre negra comenzó a coagularse inmediatamente sobre el piso. Después lo vieron salir al patio, muy serio. Llovía y los relámpagos rayaban el rostro de los mirones. El chorro helado de la canal provocaba una poderosa erección bajo la franela empapada del Otro. El deseo borró pronto la memoria del incidente. Él fue hasta el baño; cuando Ella entró sin tocar a la puerta, encontró a un hombre que no era Él. Tenía las mejillas encendidas y sobre la sombra del bigote, las gotas de un sudor tibio. Lo besó desesperada. A partir de entonces, las noches (y los días) se hicieron más intensos para el matrimonio. Él la penetraba en el baño, de espaldas. La penetraba en la poltrona. Sobre los mimbres nuevos y contra el mueble de caoba. La penetraba en la cocina. Una vez, sospecharon que los miraba y tuvieron un orgasmo copioso, apenas disimulado cuando el Otro irrumpió, con su figura de cadete, en el calor del lugar. Regresaba del patio, donde había encontrado algunos nidos de hormigas, que destrozaban cuanto contenían las macetas. Él se lamentó por la pérdida de las begonias, pero fue el Otro quien prendió fuego a los montículos de tierra. Tenía los pies enrojecidos por las mordidas y algunos insectos caminaban aún por sus piernas. Cuando entró a la cocina, desesperado por el dolor, se quitó frente a ellos la única prenda que cubría su sexo y corrió al baño. Dejó la puerta abierta mientras se duchaba. Él tuvo otra erección que dio con Ella sobre la meseta.

Era el Otro quien estaba cuando su mejor amiga la llamó, entre hipócrita y socarrona, exigiendo que se comunicara más a menudo. El Otro le aseguró que en ese momento Ella no estaba. «Qué educado...», dijo para sí la mejor amiga, sin sospechar que fue Ella quien le hizo una señal negándose a atenderla. Comenzaba a prescindir de los amigos. Él también. Al menos eso parecía, porque desde que el Otro llegó no había vuelto al club de cinéfilos, los jueves; ni a la cinemateca, los lunes.

—Tan chismosa —dijo Él. Ella pensó lo mismo.

—Esta vez no te me escapas —chilló la vocecita que comenzó a interrogarla. Eso duró cerca de treinta minutos, hasta que la pregunta de rigor quedó suspendida en el aire enrarecido de la sala, una mezcla del aroma dulzón de las enredaderas, con el olor abrasivo del veneno para hormigas que regaba el Otro.

Ella le explicó muy brevemente. Y todavía tuvo tiempo para escuchar algunos comentarios sobre la buena apariencia del muchacho: los había visto en el ferrocarril.

—Se abrazaron, casi llorando —escuchó del otro lado, poco antes de colgar el teléfono, arguyendo la necesidad de ir al baño «inmediatamente».

Pero no fue al baño. Se echó en los brazos de Él y lloró por todos los días que le quedaban en este mundo. No hizo falta contar nada.

El Otro mataba las hormigas que le subían por las piernas y aquella escena de los dos, llorando, le había parecido fatal; acentuado el ridículo por el melodrama de la Vargas, rallando sobre la placa negra, una y otra vez, hasta que Él, aturdido, apartó el cuerpo frágil de Ella, fue hasta la máquina y la desconectó para la eternidad... El Otro entró al lugar cuando los ánimos estuvieron más calmados. Le pidió a Ella algo para lavarse los oídos, donde se había internado uno de los insectos. Salieron a la terraza y, en el lavadero, ayudó al muchacho. Él los vio desde su trono de la tarde, bajo el framboyán.

Esa noche cenaron los calamares que el Otro destripó, frente a las muecas de Ella. A Él le provocaban la misma repulsión, por eso prefirió irse a leer el periódico lejos de allí, en la poltrona, donde perdía la concentración tratando de escuchar lo que se hablaba en la cocina, y hasta donde llegaban como truenos las risas del Otro. Ella casi no habló. Tampoco durante la cena, se limitó a algunos cumplidos sobre el plato.

—Mejor que los tuyos.

Cayó como una lápida la frase de Él, que no volvió a probar bocado preparado por Ella. Esa noche, ninguno quiso tomar café después de la comida. Estaban cansados y querían dormir. Antes de irse a la cama, Él vio encendida la luz del cuarto del Otro. Asomó la cabeza y lo encontró en calzoncillos, sentado como un loto al centro de las sábanas blancas. Leía con devoción. «Oraciones para espantar las plagas», le había dicho, pues las hormigas se habían convertido en su mayor obsesión. Las mataba con los dedos y con el polvo de la botella colgante en el zaguán, orinaba sobre los montículos y mezclaba los insecticidas comprados por Ella con los líquidos traídos por Él de la Universidad. Todo había sido en vano. Aunque la mañana en que Ella se fue, encontraron en el patio todo tipo de animales muertos, hasta el gato negro de la vecina. Él sugirió enterrar al pobre animal bajo el framboyán, ese era el sitio donde acostumbraba a sepultar sus mascotas. Y de seguido, le contó media docena de historias sobre perros y conejos. «Ya no traigo animales a la casa», dijo Él con cierta emoción, recordando el dolor que le causaba verlos morir. El Otro lo escuchaba con una atención exagerada, como si quisiera ayudarlo a olvidar sus antiguos dolores y este que le había surgido hacía apenas unas horas, cuando vio recogidas sobre el sofá las cosas de Ella. Se marchó sin decir siquiera adónde iba. Entonces el muchacho echó sobre los hombros de Él un brazo de atlante y caminaron sobre los adoquines húmedos. Iban hacia las sombras cómplices de la casa.

Quince días después, cuando Ella llegó a la puerta, tuvo que valerse del timbre. El Otro había cambiado la cerradura. Entró y lo saludó, casi sin mirarlo. Fue hasta la poltrona donde descansaba aún su libro favorito. Venía a «hacer las paces».

—¿Y Él?

El Otro notó en la pregunta cierta tristeza amordazada.

—Fue a la Universidad, pero debe estar por llegar —la convenció.

Iban para la cocina cuando sonó el teléfono. El Otro se adelantó.

—No está —le respondió a la vieja, que preguntaba por su hija.

—¿Quién era?

—Preguntaban por Él —respondió el Otro, casi a las puertas del lugar donde los esperaba la tetera puesta al fuego.

En algún momento, estuvieron tan cerca que el Otro pudo sentir la respiración apurada de Ella, quien se justificó con la estrechez del sitio. El Otro aprovechó la oportunidad para comentarle sus planes de correr paredes y ganar espacio. Sacó unas pequeñas bolsas y las suspendió para darle a escoger.

—El té negro me quita el sueño.

—Eso puede ser bueno si se tienen noches interesantes —coqueteó el Otro.

Y fueron a sentarse a la sombra encendida del framboyán, donde tomaron el té de jazmín. El aroma que despedían las tazas se mezclaba con el olor nauseabundo de la brisa que soplaba. Ella reparó en los montículos de tierra roja que levantaban las hormigas junto a las raíces del árbol.

—Son resistentes —dijo el Otro, justificándose.

«Algún animal muerto...», sospechó Ella. Y añadió, impaciente:

—Él no llega.

«No va a llegar», le respondió el Otro que ya no era el otro.

Consuelo Casanova

Nació en Villa Clara en 1947. Periodista y editora, es autora de los poemarios *Días completamente humanos* (finalista del Concurso 13 de Marzo en 1985) y *Querer la oveja*. Recibió una mención en el Concurso Nacional de Poesía Regino Pedroso en 2001 por *Cartas desde París* y fue finalista del Certamen Internacional de Minicuentos El Dinosaurio en 2004 por su relato *Medianoche*. Ha aparecido en diversas antologías, así como en revistas cubanas y extranjeras. En 2010, publicó su libro de cuentos *El rap de la calle Obispo*, donde aborda temas como la violencia doméstica, la inmigración, la soledad, el amor o el desamor.

La primera novia y el último novio

La primera novia conoció al bisexual-mitómano en un hospital. Ella creía que estaba infartada, aunque apenas tenía veinticinco años. Pero su corazón no latía normalmente aunque solo estaba sufriendo un ataque de hipocondría debido a la tensión que había pasado en unos exámenes en la Universidad. El BM había llevado al padre al cardiólogo porque creía que aquel también estaba infartado, pero solamente sufría de un dolor de huesos producto de una incipiente desnutrición. El BM vio salir de la consulta a la PN y le gustó su forma frágil. Pensó que a lo mejor estaba infartada y le ofreció su ayuda. Ese día la PN le confesó que sufría de avitaminosis por la carencia alimentaria.

La PN llevaba unos aretes de plata (tipo cafeteras de Almodóvar), una minifalda negra y un pulóver negro un poco desgastado. El BM después que llevó a su padre en taxi a su casa la invitó a pasear por las calles de La Habana, con el propósito de que se le pasara el susto. La PN aceptó y se fueron juntos al Malecón. El BM llevaba unos *jeans* desteñidos muy lavados y una camisa a cuadros. Durante el paseo se contaron sus vidas: a la cubana. Te conoce y ya te conoces. La PN le confesó que amaba el cine de Almodóvar, las canciones de Bola de Nieve, a Jim Morrison, y que se sabía, pedacito por pedacito, las calles de París. El BM le dijo que él también amaba a Bola de Nieve, a los Beatles y a Elvis Presley. A él le gustaba el cine americano, y su actriz preferida era Meryl Streep. Supieron sus signos zodiacales: él Géminis, ella Aries. Creían que en el amor eran muy importantes los fluidos goteantes. La PN comenzó a darse cita en el Prado, la Rampa, los muelles (los bares de los muelles le recordaban películas de carácter dudoso, ellos adoraban las ambientaciones de carácter dudoso). Eso era algo que tenían en común.

El BM vivía en un apartamento de dos cuartos con los padres. Comenzaron a verse en el cuarto del BM que estaba organizado, bastante limpio y mantenía una cierta privacidad. La PN, después de un acto de frenesí amoroso, descubrió un ratón que la aterró. A ella le daban miedo los ratones, porque no creía en ratones inocentes. Desde ese momento, el BM empleó una pequeña parte de su dinero para comprar en el Mercado Negro veneno contra los ratones. La PN con esos detalles era una mujer feliz y se propuso ser una mujer diferente cada día: una bruja o un hada o una maestra o una actriz famosa (preferiblemente un mito). O Cuquita la mecanógrafa y hasta la pequeña Lulú.

Esto era un reto muy difícil porque la PN solo tenía tres vestidos y solo un par de zapatos. Su amor era infinito. La muerte estaba transgredida y por esa razón se aficionó a los boleros de Toña la Negra, Armando Manzanero y Chavela Vargas.

El BM la amaba profundamente, solo que entró en conflicto con su propia naturaleza. No sabía cómo desvelarle a la PN su carácter de bisexual. Primero pensó en engañarla definitivamente. Después llegó a la conclusión de que sería deshonesto (él respondía a ciertos valores cristianos). Para esa confesión ideó una cena (frugal por las circunstancias): arroz, frijoles negros, croquetas de caldo de pollo (con un cuadrito de sazonador que había comprado por un dólar que había obtenido de la venta de unos zapatos a una doctora). La PN se entusiasmó con la cena y pidió prestados maquillajes que le dieron un *look* suave en tonos rosados con dúo de malvas grisáceos y boca natural, todo trabajado con un acabado semimate.

El BM organizó una cena con velas (las velas que había quitado del altar donde su madre veneraba la Caridad del Cobre). La cena comenzó normalmente y ella le elogió las croquetas. El BM no sabía cómo entrar en el tema. Finalmente, después de tomarse un vino de uvas caletas de la Playa de Santa Fe, se lo dijo de una vez. Aludió a las teorías de la bisexualidad desde la época del Imperio Romano, le explicó, con mucho tacto y paciencia, que la bisexualidad era parte de la sexualidad humana y que ella como PN, mujer excristiana, mujer exmiembro de las juventudes de izquierda no podía prejuiciarse con estos conceptos. La PN dejó de comer de inmediato, de hablar. Quedó en completo silencio. Se fue quitando el maquillaje del *look* semimate poco a poco y después salió corriendo y dejó la cena sin acabar.

Al pasar el tiempo (tres meses más o menos), la PN se suicidó con un poco de veneno para matar ratones mezclado con agua de azúcar. Ella había guardado celosamente este veneno.

Al velorio y al entierro fueron pocas personas:

1. La señora que le había vendido al BM el veneno para los ratones (con fuertes remordimientos de conciencia).

2. Un amigo de la PN (con dos gladiolos que pudo comprar en el Mercado Negro).

3. Una amiga de la PN (maquillada discretamente) que recordaba constantemente la canción *Usted es la Culpable.*

4. El BM en compañía de un amigo vestido con unos *jeans* negros, un poco frágil, un pulóver negro y unos aretes de plata (parecidos levemente a las cafeteras de las chicas de Almodóvar).

Nació en La Habana en 1973. Graduado en el Centro de Formación Literaria Onelio Jorge Cardoso, ha obtenido, entre otros, el Premio Camello Rojo de Cuento en 2002, el Premio Ada Elba Pérez de Cuento en 2004, el Premio de Cuento en el XXV Encuentro Debate Nacional de Talleres Literarios (2003-2004), el Premio El Heraldo Negro de Cuento en 2008, el Premio Félix Pita Rodríguez

Nonardo Perea

de Novela en 2013 por *Donde el diablo puso la mano*, una mención en el Premio Alfredo Torroella de Cuento en 2003, una mención en el Premio Farraluque de Literatura Erótica en 2005 y una mención en el Concurso Francisco Mir en 2009 por el cuaderno de relatos *Alguien tiene que quererte*. Además, ha publicado el libro de cuentos *Vivir sin Dios*.

Mañana hablarán de nosotros

La miro para ver si respira, a veces da un poco de miedo imaginar que estoy durmiendo al lado de un cadáver, o con alguien que acaba de dar un último suspiro, pero no, lo hace, suave pero respira. Ahora mismo quisiera despertarla para decirle que no logro conciliar el sueño, que deberíamos hablar, decirnos algo mientras haya tiempo.

Creo que estoy entrando en una crisis, siempre ocurre cuando comienzo a filosofar demasiado, a formularme preguntas que para mí no tienen respuesta, ¿por qué carajo no puedo comportarme como Lisa, que duerme con una naturalidad que suele rayar en lo absurdo?

Cuando despierta, en su mente solo hay espacio para templar, templar y volver a hacerlo. Nada es más favorable para olvidar problemas, mucho más cuando todo lo acontecido es algo ya irreparable e irreversible.

Son las tres de la madrugada, podría leer algún libro, pero ni siquiera eso puedo, sé que no tendría la concentración suficiente, además, si enciendo la luz ella podría despertar, y no hay nada que le moleste más que tener que dormir con una luz pegada a los párpados, pero yo tampoco puedo estar aquí, en espera de que los rayos del sol entren por las hendijas.

Verla de espaldas provoca en mí un poco de excitación, enseguida voy a la humedad que hay entre esas piernas que aún parecen las de una escolar. Comienzo a masturbarme y cuesta un poco de trabajo ponérmela como a ella le gusta.

Serán los años o el estrés acumulado a través del tiempo, el café o los cigarros, puede que sean los nervios. Si al menos pudiese quitarle de encima la sábana y subirle la bata de casa para verle mejor los muslos.

Esa bata con florecitas ya gastadas fue un regalo de mi madre. De eso hace quince años, cuando aún no había dicho adiós. Demasiado tiempo. «Tu madre tiene muy mal gusto», me escupió esas palabras solo porque junto a la bata le había colocado un juego de ropa interior negro, «ese color trae mala suerte», pero por aquel tiempo ya todo andaba de mal en peor. Esa noche lo estrenó y antes de irse a la cama para comerme a besos y mordiscos, tomó unas tijeras y con ellas, lo hizo trizas delante de mí. Y la perdoné cuando se acercó a donde yo estaba, para sin remordimiento alguno decirme: «Házmelo, házmelo», y se ponía de espaldas e inclinaba sus nalgas hacia arriba y me pedía que le metiese los dedos en el culo y que los dejase allí tranquilos para que sintiera cómo los espasmos se sucedían uno tras otro. Luego yo le decía: «Házmelo tú a mí».

Ahora sé que si intento subirle la bata se despertaría y no quiero metérsela, prefiero pajearme pensando que su culo es el culito de otra cualquiera, y no una florecita gastada. Además, ya ninguno de los dos soportamos los preservativos: a Lisa le provocan alergia, y es a causa de esa grasa que usan para lubricarlos; y yo no siento el mismo placer, me demoro demasiado en venirme y siempre termino con llagas que demoran días en sanar.

Según Lisa, fue más por ese motivo que llegamos a aquel acuerdo que desde un inicio no creí razonable. Pero ella, con sus mañas supo colárseme dentro, lo hizo como polvo de camino exhalado por mi nariz. Lisa podía ser o transformarse con facilidad en cualquier objeto, insecto o animal, estaba en todos los sitios, poseía una gran actitud para el convencimiento, lo hacía como las brujas solo saben hacerlo con sapos y lagartos, sin detenerse hasta verlos saltar por sí solos en la caldera del brebaje.

Lisa, mi Lisa, amorosa y encantadora, con su boquita delineada siempre en carmelita, cantando «*you give me fever, when you kiss me fever*», llevándose a cada ratito las manos al pecho, desnuda, propinándome ligeros golpes en las nalgas, con una fusta. «Síngame, síngame, y lo vamos a hacer con los que se nos metan en el camino», aquellas palabras emergían como agua de manantial, palabras que repetía constantemente. «Los vamos a joder a todos, los vamos a joder».

Fue cuando comenzamos a frecuentar cualquier tipo de fiestas. Conocíamos gente por separado, pasábamos noches enteras conversando con desconocidos, indagábamos en vidas ajenas y seleccionábamos la carne que debía ser infectada, dábamos números telefónicos, nombres y direcciones falsos. Mentíamos, sabíamos mentir, pero procurábamos el mejor sexo del mundo.

Rosita, Laura o Claudia, con sus innumerables nombres, en una madrugada podía enredarse con tres o cuatro tipos. Tenía preferencia por los mas jóvenes y atractivos, de nalgas y pechos prominentes, promiscuos, deliciosos a la vista y al tacto, con ellos casi siempre todo funcionaba fugazmente, unos cuantos besos, acompañados por gemidos que actuaban como un condimento, abrirse de muslos y: «*You give me fever*». Se venían como si se tratase de la primera experiencia; según Lisa, lo que más le excitaba y llevaba al delirio era escucharlos disertar sobre sus anteriores relaciones con mujercitas inexpertas, oyéndolos se introducía los dedos y manoseaba toda esa vida que le habían derramado dentro.

Yo tuve menos éxito, y eso a Lisa le causaba una gran molestia, no consideró que con semejante forma física y facciones, las mujeres pudiesen resistirse. Era penoso saber que en el transcurso de una semana, en su agenda ya en lista aparecían unos quince infectados, en tanto yo malamente pude enumerar a unas tres.

Pero no era culpable de que las mujeres, casi todas, fuesen menos propensas a la infidelidad que caracterizaba a un sinnúmero de hombres.

Ella enseguida encontró la solución al problema. Gracias a sus contactos en Lisboa y Madrid, no tardaron ni dos meses en llegar los envíos de pequeños paquetes que contenían nada más y nada menos que ropa con marcas de futura línea: pantalones acampanados al estilo de Liu Jo, camisetas negras de Capucine Puerari, zapatos de Pablo Fuster.

En la que sería mi nueva imagen no podían faltar el polietileno, las camisas estrechas de poliéster, los zarcillos atravesando orejas, mechones de pelo oxigenados. Era el vivo *glamour* de los noventa.

Aquel sitio lleno de luces y movimiento estaba concurrido por una gran cantidad de pajaritas; maricones deseosos que aclamaban la llegada de una nueva carnada que poseyera alguna actitud masculina. Allí dejé de ser el hombre común, o un *gentleman* desapercibido. «Nadie mejor que tú para acabar con toda esa mierda».

Aún no comprendo cómo pudo contaminar mis instintos tan fácilmente. La vi. Con las manitas en el pecho, frotándose los senos, entonando esa melodía que se anclaba en sus labios: «*You give me fever*». La quería demasiado, y siempre supe que sus caprichos nunca podrían dejar de pertenecerme.

Allí solamente debía dejarme llevar por la música y el agradable efecto de unos cuantos tragos de alcohol, ignorar el asco y escudriñar un buen sitio bajo las luces fluorescentes.

Coger resultó fácil, rápido. Primero uno, luego otro y otro, cuatro en una noche eran suficientes, demasiados. Entre palabras prometedoras, uno por uno los conducía a la parte trasera del patio, era un procedimiento sencillo, bastaba con hincarlos de rodillas en el piso lleno de fango, abrirme la portañuela y dejarlos gozar a su antojo. Eran golosas, bribonas que al final terminaban atracándose con mis sensaciones. Después, *bye, bye baby*.

No regresaba hasta pasados tres o cuatro meses. Entonces reaparecía con un diferente color de pelo y un vestuario totalmente renovado, si antes me hacía llamar René, ahora sería Alfonso, Luis o Carlos.

Todo marchaba demasiado bien, hasta que llegué a cometer la imprudencia de contarle a Lisa, claro que anteriormente ya habíamos acordado contárnoslo todo sin que mediasen las mentiras. Solo así creíamos que el amor que nos profesábamos el uno por el otro podía terminar deshojándose como flor seca.

Ella era fiel con sus historias, yo alguna vez deseé engañarla pero no lograba conseguirlo porque cuando posaba sus ojos en los míos, desnudaba todos mis pensamientos, quizá hasta podía advertir la más minúscula farsa.

Fue la primera vez que se mostró irritada, cuando le hablé del fortuito encuentro con Andrea en aquella fiesta.

Lisa terminaba de leerme un poema que, según sus propias palabras, lo había escrito solo pensando en mí, y lo definía como su obra cumbre. Ahora mismo solo me bastaría cerrar los ojos, para sin esfuerzo alguno escucharlo en su voz soñolienta. Y es como un susurro.

Déjame correrme en tu boca \ Déjame gritar cariño \ quiero más cariño \ no te detengas Nunca \ no lo hagas \ no dejes de moverte así cariño \ Es tan rico todo lo que me haces \ Húndete Húndete más cariño \ no ves, no te das cuenta de que soy tu perrita \ Es que no te das cuenta \ eres mi tirano Házmelo \ házmelo una vez más \ Déjame hacerte saber que te anhelo \ necesito de tu violencia Tu semen de dios eterno \ Tus dedos cariño tus dedos Tómame toda \ no dejes sombra \ Házmelo siempre \ y que duela Que duela \ Hazlo como si se tratase de algo nuevo \ Métemela \ Llena mis fantasías cariño \ sedúceme \ Penétrame cariño, solo tú sabes hacerlo bien \ déjame decirte \ te necesito para toda la vida \ no podría vivir sin tocarte \ no puedo vivir sin ti \ *I love* \ Cariño.

Lo rompió, lo hizo mil veces, mientras torcía los labios por la roña. Yo le hice saber que ella para mí era insustituible, pero dudó de mis verdades, porque nunca antes había hablado de alguien como lo hice de Andrea. A ella la vio claramente reflejada en mis pupilas, la creyó pendenciera, una rata venida del campo con el único objetivo de meterse en un cuerpo ajeno, para así corroer con dientes y patas las sensaciones que por ningún motivo podrían pertenecerle.

Perseguido por su mirada, recogí uno por uno los pequeños fragmentos del poema, que más tarde me dediqué a restaurar meticulosamente, uniendo pedazo por pedazo. Aún lo conservo bajo el cristal de la cómoda.

Y no es que me complaciese verla de esa manera, remordiéndose, muerta de celos, con sus intempestivos arranques de ira, pero debía hacerle saber cosas que acontecieron en la vida de Andrea, esa niña que con solo dieciocho años había llegado como traída por una tormenta, con fango incrustado en las uñas y olor a madrugadas, huía de la gente común y malhablada, de los que solo entienden sus propios problemas, de una familia que fingía mimarla, y hasta de los amigos, que se comportaron como despreciables sanguijuelas, siempre deseando estar adheridos a la carne, soñándola. Solo les interesaba el olor que se desprendía de su boca, las mordiditas en la base del cuello, el juego de manos, los tocamientos indebidos, las miradas lascivas, el forcejeo, verla desnuda, pagarle unos cuantos pesos y luego hacérselo entre cinco o seis de sus mejores amigos, hacérselo sin compasión, sin que para nada mediasen los sentimientos, el puñetero sentimiento. «Andrea es tan parecida a ti», le dije y no logré evitar que se escapara esa frase de mi boca, incluso quedé sorprendido al escucharme hablar a mí mismo. Descubrí que comenzaba a actuar como un farsante, el clásico hijo de puta que por conseguir lo que desea es capaz de matar hasta a su propia madre, lo supe porque logré endulzar los sentimientos de Lisa, y como si fuese una lombriz de tierra, me adentré allí, en esos sentimientos que raras veces solían salir a flote.

Le conté de aquel cuerpo, de sus caderas estrechas, de la piel blanca y poco transitada, le conté de su olor a limpio y de los inesperados suspiros que aleteaban dentro de su pecho. La llamaba: Andrea, mi Andrea.

Y la infecté como a tantas otras. Al vuelo, aunque con ella el procedimiento fue más angustioso y tardío. La primera vez dudé en hacerlo, tampoco lo hice en el tercer encuentro, ni en el quinto. Hasta aquel día en que le conté y ella me lo pidió, entonces sentí que debía darle de comer a la maldad, esa maldad que llevaba dentro y que criaba(mos) como si no más se tratase de un pajarito, esa maldad que lo devora todo, que siempre está al acecho, semioculta en las arterias, en cada milímetro de piel y espíritu, esa maldad que de a poco aumenta, y un buen día siente la necesidad de estallarnos dentro y lo hace a borbotones, comienza a emanar por los poros, la boca, los ojos, por cada hebra de pelo, y jamás tiene un fin porque esa inclinación malsana habita cada uno de los seres humanos y se esconde bajo las uñas, y se reproduce y alimenta.

«Andrea, a partir de hoy serás otra», le dije.

Enseguida se desnudaba para apegarse a mí. Siempre se comportó como un animal perseguido, huidiza, parecía que en alguna etapa de su vida hubiese sido fustigada por alguien, pero no. Comprendí que no solo se trataba de las personas, sino también de la existencia, de esa vida plagada de atropellos y mutilaciones. Y era, por desgracia, la que le había tocado vivir, como la nuestra. Vivíamos con la certeza de que nunca hablarían de nosotros.

Una noche, abrazados los dos, gemíamos, y de pronto, sin decir palabra alguna, nos sumergimos en un llantito que vino acompañado por suspiros y una repentina falta de aire. Así permanecimos y las horas se alargaron sin apenas darnos tiempo a pensar, pero era inútil dejar de hacerlo y un tanto más difícil cuando la escuché decir: «Estamos enfermos», «lo sé», le dije, «y tú lo estás por mi culpa». Entonces con el piquito de sus labios recorrió mi cara, los hombros, besó repetidamente mis ojos, y con sus manos se limpió las lágrimas, que quedaron pegadas a su cara, unas lágrimas que se negaban a desaparecer en unas manos tan dulces.

Andrea, mi Andrea. Yo no quise hacerla diferente, desde el principio deseé conservarla intacta, no quería romperla como se rompe un objeto o usarla como un inservible paño de cocina, no quise que formase parte de este enredo, al menos no de esta manera, pero ella quiso, mucho más cuando le hablé de Lisa, y de esa manía de querer estar siempre instalada a mi cuerpo, aguardando con cada gesto o movimiento mío algo nuevo que le sirviese para adornar y enriquecer nuestras horas de ocio. También le conté de los que llegaban a nosotros.

Y no le gustó, no pareció agradarle, pero sí supo entender la razón de tanto desgarramiento, de tanta ira acumulada. Llegó a sospechar que todos o casi todos los infectados actuaban usando el mismo procedimiento, lo hacían igual que nosotros. Ella sabía que ya estaba de nuestro lado. Enferma.

Sin apenas darse cuenta comenzó a sentirse desvalida, inquieta, pensó que era demasiado frágil para soportar algo así, por lo que no dudó en creer que contraería una gripe que la haría ir de patitas a la cama, o sentirse descompensada, desprovista de defensas, creyó que ahora podría morir en cualquier instante, en un minuto, en dos horas, o en un insignificante segundo.

Si antes deseaba no existir, ahora quería devorar los minutos y las horas junto a los días. Le prestaba una esmerada dedicación a todo lo que se movía y pasaba por su lado, deseó visitar sitios que jamás había conocido, y que en su imaginación supuso inexistentes. Todas las mañanas en su mochila echaba un plátano de fruta y dos naranjas y se iba a la calle a caminar kilómetros, para terminar perdida en una ciudad que creyó suya y que a veces le resultaba demasiado ajena.

Comenzó a deprimirse con más frecuencia, se suponía que era lo normal, siempre ocurría al principio, con los meses tendría que aprender a resignarse. Y así fue. Comprendió las cosas, todo dejaba de verlo en blanco y negro, ahora cada pedacito de piedra, árbol, flor o hectárea de tierra, por insignificante que fuese, adquiría una tonalidad diferente. Se detenía a contemplar hormigas, pájaros e insectos, se interesó en descubrir cómo podían sobrevivir en un medio tan hostil, donde todo lo que los rodeaba estaba regido por la violencia.

Comenzó a olvidar el pasado para así darle un vuelco a su vida, se interesó en la música de Strauss y Mozart, leyó a

Raymond Carver, disfrutó de *Moscú no cree en lágrimas*, de *El acorazado Potemkin*, de *La vida es bella.*

Por primera vez aprendió a ser ella misma, supo que estar enferma no era bueno ni malo del todo, sabía que detrás de un acontecimiento negativo existía algo de paz, esa paz que la hacía entregárseme con una pasión mucho más armoniosa.

Andrea, mi Andrea. Íbamos a morir y nos burlábamos del porvenir. Al menos ella nunca tuvo que sentir el dolor que produce el ver, el escuchar la voz de una madre gritando: «Mi hijo está infectado, y se va a morir, se me va a morir».

Juntos nos entregamos como si en realidad fuésemos una misma persona que posee idénticos pensamientos y un mismo cuerpo poblado de tendones y músculos. Poco o nada nos importó pensar en lo que vendría luego, después, mañana.

Andrea se marchó, pero antes dijo: «Volveré pronto». Había acordado venirse a vivir cuanto antes con nosotros, volvería dispuesta a trabajar en grupo y sobrellevar a Lisa.

Ahora al fin se despabila, oigo su voz, entona un trozo de esa canción que a fuerza he aprendido de memoria, me acerco y veo cómo por el aire vuelan un montón de florecitas gastadas, al fin la veo desnuda, tiene el pelo revuelto y la cara ligeramente hinchada, hoy le veo un parecido a Sofía Loren. Consigo excitarme por completo, recuerdo aquel poema e imagino a Andrea leyéndolo en voz alta, a su vez pienso en todas las cosas que podríamos lograr juntos.

Ahora Lisa se enrosca en mi cuello, masajea toda la espalda, y me besa, no se detiene, lleva sus labios a uno de mis oídos y dice: «Ella va a volver cariño, ella va a volver».

Nació en Villa Clara en 1963. En 1995, ganó el Premio David de la Unión de Escritores y Artistas de Cuba por su libro *Lapsus Calami*. En 1996, el Instituto Cubano del Libro le otorgó el Premio Dador, en su primera edición. Su novela *El paseante cándido*, que cuenta con varias ediciones, ganó el Premio Cirilo Villaverde en Cuba en el año 2000 y el Grinzanne Cavour en Italia en 2003. Su novela *Fumando espero* resultó Primera

Jorge Ángel Pérez

Finalista del Premio Rómulo Gallegos en 2004. Por su cuento *En una estrofa de agua*, le fue otorgado el Premio Iberoamericano Julio Cortázar en 2006, y su libro *En La Habana no son tan elegantes* fue distinguido con el Premio Alejo Carpentier en 2009 y con el Premio de la Crítica. En el año 2005, recibió, como reconocimiento a toda su obra, la Distinción por la Cultura Nacional.

Cena de cenizas

A los maricones de La Habana; y a Pedro de Jesús, Manuel Zayas, Ángel Cabeda, Noel Castillo, Julio Mitjans, a Léon Werth quand il était petit garçon

No hubo trazo de letras en el salterio decorado que no fuera agotado por las llamas. El fuego acabó con cada línea, y también con Jorge Ángel. Dicen los vecinos que su vida merecía una novela, quizá por eso escribió en su Diario, el mismo que destruyeran las llamas impetuosas. Él debió creer que su historia merecía ser contada; y no era convocar los recuerdos cuanto prefirió, quería dejar escrito cada acto de su vida, reconocerlos él, contárselos a cualquiera, explicarle a Dios. Jorge Ángel pensaba que describir sus actos era darles conclusión, creía en la palabra que fijaba los sucesos que el tiempo podía desbastar.

El día del incendio Jorge Ángel celebraba cumpleaños: cuarenta y cuatro, aseguran, y que preparó cena abundantísima, y que cuantiosos eran también los invitados, todos jóvenes, hermosos cada uno. Desde temprano fueron llegando, acicalados, exuberantes; notoriamente a todo dispuestos. También Jorge Ángel se preparó muy bien, y cada cosa estuvo lista en adelanto: música, bebida, comida suculenta. Dicen que no hubo tiempo para servir la cena, antes ocurrió el incendio, que empezó allí mismo, en la casa del maricón que merecía una novela, el que escribía en su Diario, en el salterio decorado.

Y también dicen los cercanos que, aunque Jorge Ángel

esté muerto, debe andar postrado en el infierno pidiendo perdón por sus pecados o adorando la mayólica que lucía en la pequeña sala de su casa, es que el David negro dibujado era hijo de la diestra de Mateo Pérez de Alesio, de donde arrancó, creciendo, su familia, entonces contaba la historia que ligó al pintor con una cubana de visita en Lima. Aunque desentonara con el resto de los adornos, le hizo tributos a la loza esmaltada del jarrón, y prueba de ello es el lugar privilegiado que le diera, muy cerca de La Piedad, y entre todo su *Art Déco*. Es que Jorge Ángel adoraba la mayólica, le hacía reverencias porque estaba orgullosísimo de ella, por toda su belleza, y porque el italiano que pintara al David negro era tronco en su familia, al menos eso dijo siempre, jactancioso, cuando la mostraba a los invitados que recibía en su casa del solar. Y también se expresaba pedantísimo cuando debía pronunciar su nombre: Jorge Ángel Pérez de Alesio, decía, y olvidaba el apellido de su madre porque Sánchez no tenía mucha gracia, aunque a veces, si era descubierta la simpleza del segundo de sus apellidos, era capaz de decir que Mariquita Sánchez, nacida en el siglo dieciocho y en el virreinato del Río de la Plata, a quien gustaba mucho hacer la caridad, era su parienta, y también se enorgullecía al reconocer que Mariquita, su allegada, era más elegante y mejor benefactora que la mismísima Eva Perón. «Ella nació rica y fue dadivosa desde la cuna». Así decía cuando alguno de sus amigos hacía notar la simpleza de su segundo apellido, otras veces olvidaba a Mariquita y aseguraba que su madre era descendiente de Serafín Sánchez, el tan patricio, el tan heroico, el tan mambí; y algunas veces la genealogía de su madre tenía por ostento a Eduardo Sánchez de Fuentes, el músico cubano, y decía que la evasión del segundo de sus apellidos tenía que ver con lo aparatoso que resultaba nombrarse Jorge Ángel Pérez de Alesio, y además, Sánchez de Fuentes.

Lo que más ponderó el maricón difunto fue su Diario, al que llamaba «salterio decorado», pero eso vino después. Al principio fue solo el Diario. Varios cuadernos, siempre idénticos, de hojas blanquísimas, altas y muy anchas, para que el trazo amplio de sus letras corriera ilimitado haciendo a Dios miles de agasajos y contando de su vida. Aunque fuera pecador, se decía muy católico, porque católicos habían sido todos en su familia, desde tiempos inmemoriales, y también hubo en su casta obispos y cardenales.

Si el Diario no se hubiera perdido entre las llamas, quizá la Policía encontraba alguna pista. Debió de escribir algunos comentarios sobre los preparativos de la fiesta. Siempre le gustó celebrar sus cumpleaños y recibir montones de invitados para apuntar luego los detalles. Las tapas del Diario eran duras y adornadas. Él mismo iluminó las páginas, siempre después de escribir en ellas. Nada hizo que olvidara describir sus días. Para cada jornada, un salmo. Así iniciaba la escritura, con la palabra salmo, y luego un número de orden, debajo iba la fecha, a la izquierda. Es una desgracia que el salterio fuera tragado por las llamas, que se perdieran todas las anotaciones que hiciera el maricón en el salterio decorado. De mantenerse intacto, las cosas habrían sido diferentes, es posible que Jorge Ángel escribiera algunas líneas que ayudaran a desentrañar las causas del incendio en el solar.

Los vecinos insisten, y nadie consigue saber cómo se enteraron, en que el incendio comenzó en la casa de Jorge Ángel, y que los últimos apuntes eran del dos de agosto.

Aseguran, porque en los solares de La Habana todo se conoce, que subrayó salmo, y luego el número, que al parecer escribiría una alabanza, que así prometió a Dios en una línea, y que lo llamó Señor, y que le dio gracias por sus atenciones. Gracias, señor, mi Dios, debió escribir, y eso cuentan los vecinos, porque aseguran que el maricón estaba muy feliz por cumplir años, por recibir a tantos invitados que despertaban la envidia de todas las mujeres del solar, de sus amigos.

El primero de los salmos que escribiera tiene algunos años, treinta y dos, exactamente. Salmo Uno, apuntó esa vez en el papel con la mejor letra que pudo conseguir, y luego la fecha: seis de enero de mil novecientos setenta y cinco. Aún no había cumplido los doce años cuando comenzó a narrarse en su salterio decorado. Y era una letra sosegada la del salmo. Intentaba contener su exaltación, al menos eso indicó con el trazo tan calmado, y al final bordeó la página con ángeles que él mismo dibujara, algo indefinidos en sus rasgos, en esa época Jorge Ángel no era muy bueno dibujando. Felicidad verdadera, escribió, y pintó unos querubines. Así comenzó el primero de los cantos, mencionando una felicidad indiscutible, y explicó enseguida que se había cambiado el nombre. «Hoy cambió mi nombre. Ahora me llamo Clara. Solo te lo digo a ti, y por favor, no se lo cuentes a mamá. Contigo quiero ser sincero. De todas formas lo sabrías aunque no te lo contara». Un nombre le bastó para entregarse, se lo sugirió Ovidio muy bajito, susurrándole al oído. «Te llamarás Clara», y yo acepté. Y cuando escribió el dictado que estrenaba, supo que algo había pasado, que ese nuevo apelativo cambiaría su vida. Jorge Ángel no pudo explicarse bien, era muy joven. En otras ocasiones volvió sobre aquel momento ya lejano. Ovidio dijo que para amarlo debía llamarse Clara. Y no es que dejara de ser muchacho. Era mucho más.

Apodarse Clara fue para Jorge Ángel, y así lo ha pensado muchas veces desde aquel día, no titubear a la hora del juego con Ovidio. El hombre prefería entretenerse retozando, preparando múltiples batallas. Ovidio era el soldado, Clara, la enfermera. Llamarse Clara significaba desnudarse sin recato, mostrar sus carnes al soldado. Llamarse Clara era un beso sin que después se le castigara, y era arrodillarse y bendecir el arma al combatiente, era chillar por el dolor que da el placer. Llamarse Clara era estar de acuerdo con Ovidio, reconocer que nada había más parecido al amor que una batalla. Jorge Ángel era el enemigo y luego la enfermera, y los dos se despedazaban en combates incesantes. La virilidad de Ovidio era arma larga, robustísima, y el muchacho adoraba las ráfagas del fusil, las que lo dejaban embarrado y sin aliento. Llamarse Clara significaba no sentir vergüenza, y Jorge Ángel entregó su inexperiencia a la madurez de Ovidio, que se enfermaba en cada juego. Casi siempre resultaba herido y hasta fingía un tambaleo; un traspié y luego otro, para terminar simulando una caída y perdida la mirada. Clara debía socorrerlo. Fue Ovidio quien sugirió otra vez: lo primero debía ser despojarlo de sus ropas, tomar el pulso, poner su oreja en el pecho y escuchar su corazón en marcha. Jorge Ángel ponía un dedo bajo la axila del soldado para descartar la fiebre, siempre el índice, y le gustaba el calor en los sobacos del soldado, gozaba el sudor. Fue Ovidio quien lo enseñó a besar, a menearse, a quedarse quieto luego. Quedó encantado con las cosas que dijo el hombre, con las celebraciones que hiciera al cuerpo impúber que desarropaba. Ovidio lo nombró de nuevo, le dijo Clara, y mariposa, le besó los pechos y terminó dedicado a sus tetillas. Ovidio fue responsable de los comportamientos que en lo adelante exhibió Clara en la cama, al menos así escribió unas cuantas veces, cada vez que recuerda esos momentos. Tiene la certeza de que sus vicios, sus manías en el sexo, tienen que ver con esas horas en que fue poseído por Ovidio. Jorge Ángel creyó que su soldado era la felicidad más verdadera, aunque tuviera que chillar cuando se ponía boca abajo a petición de Ovidio. Y en realidad le dolía, pero el macho disfrutaba los gemidos, y a él le encantaba obedecerlo. Si en su casa y con su madre nunca fue sumiso, el combatiente lo hizo manso; dócil cuando le exigió los gritos, cuando recomendó que no fueran demasiado altos, y prefería que simulara, que fingiera con gestos el dolor; sería mejor si mordía la almohada y chillaba luego, que no dejara de morder a la hora de gritar, que la almohada entre sus dientes atenuaría los quejidos. No quería que se enteraran los vecinos. Cada vez pidió los chillidos y que no se avergonzara. ¿Y por qué iba a abochornarse? Cuando Ovidio desarropaba los doce años de Clara, el muchacho se sentía feliz. Él mismo se miraba para verse delgadísimo, tan de Ovidio. Algunas veces fingió asustarse porque se lo pidió su hombre. Todavía Jorge Ángel puede fingir los mismos espantos cariñosos, los espasmos. Bien sabía que era importante para el soldado, y respondió devota. A Jorge Ángel le encantó llamarse Clara, y así lo dejó escrito en el primero de los salmos, que ya no podrá leerse porque fue destruido por el fuego, hecho cenizas.

Unos cuantos días después de ese primer intento de comunicación con Dios, tuvo la sospecha de que lo había abandonado, y lo dejó inscrito en el salmo acompañado por el número noventa. En momentos de enorme angustia escribió líneas dolorosas, y demandó a Dios porque desatendía al hijo fiel, y mencionó a sus enemigos. Corina era la primera, la peor, la más hostil. Aquel martes llegó temprano y subió corriendo. Jorge Ángel no tuvo tiempo para vestirse. Hacía tres meses que se estaban viendo en la casa de Ovidio. Cuando Teresa visitaba a la suegra llevaba a Corina con ella. Jorge Ángel no había sentido tanta avidez como ese martes; en todo el cuerpo un cosquilleo: en el pecho flacundengo, en las teticas, en el cuello, en cada escondrijo, en todas partes. Ese día exageró en desobediencias. Ese día quiso llevar las riendas del juego y que creciera el tiempo. Muchas veces se negó a ponerse boca abajo porque después que acababa, casi enseguida, Ovidio le exigía que se fuera con cuidado y que no llamara la atención. El muchacho quería un rato más, ya bastante soportaba con resignarse a verlo solo una vez a la semana. Jorge Ángel quería mirarlo después de que ambos acababan, y que se quedara dentro por un rato. Jorge Ángel se angustiaba cada día esperando a que llegara el martes. Esa vez, estratega desde niño, y para no ser egoísta, para no esperar únicamente atenciones a su cuerpo, a sus deseos, se puso a jugar con el arma del soldado, después de curarlo tanto. Desnudo, arrodillada, olía el sexo de su amado, lo besaba, casi llorando. Desde días muy tempranos, Jorge Ángel tuvo miedo del final de esos encuentros, temía que el placer se terminara, por eso besaba el arma y le decía secretos, retardaba el momento de ponerse boca abajo y acabar. Arrodillado estaba Clara cuando apareció la hija de Ovidio y armó gran aspaviento.

«Señor, ten compasión de mí, dame fuerzas y devuélveme la salud». Así escribió Jorge Ángel en medio de unas fiebres que nadie consiguió explicar. Ovidio dijo, muy rotundo, que no se verían más. Clara extrañó los juegos de cada martes, los que hacían cuando la familia se ausentaba, cuando visitaban a la abuela. «¡Estoy temblando de miedo! Y tú, señor, ¿cuándo vendrás? Ven, señor, sálvame de este amor. Si no me ofreciste la contención que te pedí, dame ahora lo que quiero, y que es a Ovidio. Si me muero no podré acordarme de ti, si me muero quedarás en el olvido. ¿Acaso quieres que me muera? ¿Acaso crees que si me muero seguirás viviendo? Soy yo quien te es muy fiel. ¿Quién lo es más? Dímelo tú, quién es más fiel que yo. Desde que Ovidio me llama Clara, soy tu mejor hijo, la más fiel, y te he dedicado montones de oraciones. Te dedicaré otras, montones cada día, pero devuélvemelo. Dios mío, mira que únicamente son los martes. Es solo un día. Casi no es nada. Estoy cansado de llorar, llena de lágrimas está mi almohada. Voy a cerrar los ojos, mi señor, voy a apretarlos bien, por unos segundos, si al abrirlos das una muestra a mi favor, creeré en ti. ¿Quieres que te odie? Quiero quedarme desnudo y en su cama, lo extraño, lo extraño mucho. Voy a cerrar los ojos, y cuando los abra quiero que sea Corina quien huya avergonzada. Voy a cerrar los ojos esperando que me traigas una señal de Ovidio. Espero su arrepentimiento, espero que me busque, que me llame, que me invite el martes a su cama. Si te olvido, si te niego, no serás el mismo, si me pierdes serás un poco menos Dios. Hace tres días que no lo veo. Quiero verlo el martes. Cualquier día. En cualquier lugar. Tú decides».

Y ahora dicen los vecinos que están hurgando en los escombros, que Jorge Ángel merece una novela, y quizá sea cierto, lo malo es que el salterio decorado también pereció entre las llamas, como la mayólica, como todos sus objetos de valor, que al parecer eran muchos, al menos eso aseguran los vecinos que andan removiendo, y a quienes nada importa que las maderas estén calientes, que estén hirviendo. También dicen, los que remueven toda la escoria que dejó el derrumbe, que el incendio comenzó donde vivía el maricón, y no en casa de Ovidio, como se ha empeñado en demostrar Corina, y que tampoco pudo ser el borracho de los altos. Ellos insisten en decir que Corina se culpa porque ha perdido la razón por el dolor que le causó la muerte de su padre, y que el borracho hacía muchos días que no venía por el solar, se le había visto en algún banco del Parque Central, dormido, roncando, embotado por tanto alcohol, que no tenía fuerzas para hacer rallar contra la lija el fósforo, que todavía debe de estar durmiendo en su banco del Parque Central, sin enterarse. Los vecinos no consiguen estar de acuerdo y dicen muchas cosas, cada una es diferente. Hay quien asegura que fue Ovidio quien prendió fuego en la casa de Jorge Ángel, después de asesinarlo, y que luego se metió en su cuarto y lo roció también con mucho alcohol y dejó caer un fósforo encendido, dicen que nunca le perdonó todo cuanto estuvo haciendo para humillarlo.

Dicen los vecinos que Ovidio quiso convencer a Jorge Ángel, buenamente, de que nunca hizo nada para seducirlo. Aseguran también que Jorge Ángel lo rondaba, que lo vigiló cada día, y se quedaba lelo cuando el hombre salía a martillar en el pasillo. Ovidio era un hombre preocupado por su casa y devoto de la familia. Cada mañana se le ocurría algo que hacer; un clavo para fijar la pata de una silla, estirar la pajilla de un sillón, asegurar la tendedera que usaba Teresa para colgar la ropa que lavaba. Jorge Ángel también se tendía en el pasillo, boca abajo, y lo miraba, hacía dibujos en un papel, unas veces para disimular, otras porque describía con sus trazos el encuentro con el hombre. Una línea se torcía para enredarse con la otra, y eran Ovidio y Jorge Ángel. Lo cierto es que nunca se atrevía a acercarse, únicamente contemplaba al hombre sin camisa y le encantaba el resalte en las clavículas, los hombros levantados, el bíceps que se definía cuando daba golpes con el martillo y sobre una tabla para reforzar la puerta, y le encantaba la amplitud de los pantalones abrochados más arriba de la cintura, porque lo obligaba a imaginar el ombligo que no veía y también lo que guardaba en la entrepierna. Le encantaba el pecho, nada amplio, discretamente hermoso. Así fue cada vez que el hombre hizo sus labores en aquel pasillo del solar, al menos eso dice un vecino, que le contó Gloria que escuchó alguna vez a Ovidio mientras increpaba a Jorge Ángel, y también que fue Jorge Ángel quien le gritó una mañana a Ovidio, desde su posición de boca abajo, que se había cambiado el nombre, que desde entonces se llamaría Clara, y Ovidio se asustó tanto con la revelación que hiciera el muchachito amanerado, que desatendió el curso del martillo y el golpe no fue al clavo levantado, la cabeza del martillo golpeó uno de los dedos del que estaba carpinteando, y Clara fue rápida, quiso socorrerlo, y le dijo que era enfermera, que se había quebrado el dedo y que podía curarlo, hasta hizo por acariciar, lo acarició, lo beso muchísimo. «Sana, sana, culito de rana, si no sana hoy, sanará mañana». Y dicen que para sanar el dedo lo llevó Jorge Ángel a parte oscura, a lugar estrecho. Y al parecer sanó, porque Ovidio quedó tranquilo y muy sedado. Eso dijo Gloria alguna vez, y que fue un martes; y un vecino lo repitió delante del policía a quien encargaron la investigación sobre el incendio y sobre las muertes, de Ovidio y Jorge Ángel, y también de la de Esteban. Lo terrible es que no han quedado pruebas. Concluyente podría ser el salterio decorado, pero el diario se convirtió en cenizas, y no se pudieron leer las anotaciones del maricón. Ojalá contara el policía con los detalles de esas páginas.

Jorge Ángel escribió también un salmo donde contaba detalles de su venganza. Nunca se resignó a perder a Ovidio, estuvo muy sufrido al descubrir las visitas de Zaida. Unos meses después del último de los encuentros, descubrió que los martes, después que Teresa y Corina salían para visitar a Esperanza y a llevarle noticias de su hijo, llegaba Zaida y se encerraban. Lo mismo que antes hacía con él. Delante de la puerta y con una oreja pegada a la madera, intentó escuchar todas las veces que Ovidio recibió las visitas de su cuñada. Nadie sabe todo lo que sufrió el muchacho, únicamente le contó a Dios, y es posible que fuera por vergüenza que utilizó el Diario en lugar de confesarse, de hablarle arrodillado. Sin tapujos escribió en su salterio decorado: «Si pudiera saber, Padre, lo que ocurre cuando cierran esas puertas. No puedo evitar pegarme a la madera con la oreja. Así quedo mucho rato cada martes. Y le confieso que siento rabia, y celos, y deseos de matarlos, de prender fuego a la casa con los amantes dentro. Quién va a pensar que fui yo, únicamente usted sospecharía de mí, y no será capaz de delatarme. Juro que hasta ahora no escuché nada, y no sé si me gustaría, pero imagino, y me crece el odio, y a veces me excita pensar en lo que Ovidio está haciendo con Zaida porque recuerdo lo que hacía conmigo, y lo que nunca hizo y me quedé esperando. Es tan triste ver la cara de esa mujer cuando se marcha, y la de él, en el instante en que sale nuevamente al pasillo acabado de bañar y con el pelo mojado y oloroso. Hasta mí llegan sus aromas, y me quedo extasiado, y debo contenerme para no perder la calma. Qué calma, señor, nunca tengo calma. Antes no me di cuenta de lo hermoso que se veía después del sexo, debe ser porque yo quedaba pleno y muy feliz, que no me percaté de esos detalles. Pudo ser culpa de las urgentes escapadas, porque Ovidio me exigía que me fuera, nunca lo vi salir del baño, jamás tuve tiempo de alcanzarle una toalla. Su cara parece más relajada, padre, y más blanca, resaltada en todos sus detalles. Y parece también que se le inflama el pecho, que las manos y los dedos se hacen más diestros, lucen más largos, a la hora de ponerse a clavetear, porque Ovidio sigue trabajando, hasta que llegan Corina y Teresa. Yo creo que me espía, que me mira con el rabito del ojo. Él quiere conocer mis reacciones, y no me importa que note mi inquietud, mi rabia. Si lo tuviera, si me dedicara otra vez los martes, un día cualquiera, no se me habría ocurrido vengarme. No sabe usted cuánto daría por volverme a desnudar delante de Ovidio, y acariciarlo luego, y darle todos los placeres del mundo. Por eso alguna de esas veces que estuve con la oreja muy pegada a la puerta de su casa intentando escuchar alguna cosa, y descubrí la risa de Zaida, y los chillidos, me puse a llamar a Ovidio, le pedí suplicante que me abriera, que me dejara entrar. Yo quería estar en el lugar de Zaida, y le dije que era Clara, pero no me abrió, y chillé más alto para que me escucharan los vecinos. Y porque sé que nunca más me va a mirar, que no atenderá mis ruegos, le dije a Teresa esta mañana, cuando salía con su hija, que intentara volver temprano, que no tocara a la puerta, que abriera con mucho cuidado para que Ovidio no sintiera el ruido. Ella me mandó callar, pero volvió temprano, como le dije, sobre las once, y también hizo todo cuanto le sugerí».

Quién podría dudar que Ovidio esperó durante años el mejor momento para matar al maricón. ¿No sería Jorge Ángel quien avisó a Corina de lo exagerados que parecían los juegos de Ovidio con su nieto?

Hay vecinos que insisten y hablan de la fiesta que celebró en su casa Jorge Ángel. Era su cumpleaños cuarenta y cuatro, tuvo muchos invitados, todos jóvenes. Así aseguran, maliciosos, y siguen buscando en el paisaje que dejó el incendio. Es probable que todo sea como ellos aseguran, pero será difícil de probar. Si al menos hubiera quedado algún fragmento del salterio decorado, quizá encontraban una pista, pero Jorge Ángel no describió nada en el salmo del dos de agosto, ese que tiene un orden muy lejano al que escribió primero, ya casi llega a los doce mil. Ese día escribió que era dos de agosto y que estaba cumpliendo años: cuarenta y cuatro, ni siquiera contó que tendría algunos invitados, hasta llegar a doce, como dicen los vecinos. No le dio tiempo de escribir mucho, solamente prometió a Dios una alabanza, y dibujó un pastel iluminado por un montón de velas, nada más. Era mucho el ajetreo en los preparativos de la fiesta. Aunque lo ayudara el Crema a la hora de hacer compras, y a subirlas luego hasta su casa, estuvo muy atareado. Fue él mismo quien lo dispuso todo;

abundante hielo y mucha bebida: rones, whiskys, vodkas, tequilas, cervezas, vinos. Los vasos y las copas estuvieron impecables, bien dispuestos, presta la mesa, lista la cena suculenta. Únicamente después de terminada la celebración habría escrito la alabanza, y quizá los nombres de sus convidados, pero de poco habría servido. Jorge Ángel no los llamó nunca por sus nombres; los apodó. Usó el apelativo de cada uno de los apóstoles para referirse a ellos. No podía pronunciar nombres tan raros; Yunieski, Yurislandi, Yorjander, Yunior, y más arduos eran otros. Jorge Ángel no escribió el salmo que prometiera, antes murió, lo asesinaron; al menos eso dicen los vecinos que están hurgando en los escombros, buscando la mayólica, cualquier cosa de valor, porque el maricón tenía muchas.

Ojalá apareciera el salterio decorado. Allí estaban todas sus anotaciones, la novela de su vida. Ahora habrá que reproducirla con los comentarios de sus vecinos, con los juicios de sus amigos y los desprecios de sus enemigos. Ojalá apareciera entre los escombros para saber más de su existencia. Allí escribió sobre todas sus pasiones, sus anhelos. La noche antes del fuego cifró uno de sus más extensos salmos, y exaltado, volvió a creer que su felicidad era auténtica, que era seria, y a Dios reverenció, ofreció humilde las gracias. Dios era responsable de tanta felicidad, fue él y no otro quien hizo que viniera su invitado. Nunca creyó que llegaría ese día. «Primero de agosto, vísperas de mi cumpleaños cuarenta y cuatro», así escribió, y también que esperaba a Ramón. Jorge Ángel lo invitó a sentarse en el mejor lugar, cerquita de la mayólica, entre todo el *Art Déco*, y anunció un regalo al vecino, al que estuvo goloseando desde siempre, lo mismo cuando saltaba con la pértiga y era hermoso, que cuando anduvo mutilado, deshecho. Que no era tan parecido al torso del Belvedere como esperaba, escribió luego, cuando Ramón se fue. Antes estuvo nervioso. Se preparó para recibirlo; afeitó todo su cuerpo: torso, axilas, brazos, piernas, muslos. Parado de espaldas al espejo empinó las nalgas y acucioso se puso a rasurarlas. Para acabar separó sus asentaderas auxiliado por el índice y el pulgar de su mano izquierda, con los mismos dedos de la mano derecha manipuló la pinza que sacó cada pelo que escoltaba el redondel profundo, luego anduvo inquieto por la casa, todo vestido de lino se paró frente al espejo; entre el dedo índice y el del medio, su boquilla de ámbar de Groenlandia. Jorge Ángel fumaba y miraba sus dedos colmados de anillos con piedras afirmadas, se burló de sí mismo mirando su figura regordeta. Hacía un tiempo que acostumbraba a mirarse desnudo en el espejo de su cuarto. Alguna vez habló a Dios, en uno de los salmos del salterio, de sus huesos metatarsianos ya en caída, y también escribió sobre los espolones calcáneos y la calcificación del Talón de Aquiles, y que por culpa del derrumbe iba bajando también su colon, y la espalda. «Soy un desastre, padre mío». Fue por esos días cuando anduvo cada tarde por los portales del Payret mirando a los muchachos. Algún amigo le advirtió que por allí iban los más bellos, que recostados en las columnas estaban ansiosos de propuestas, hacían cualquier cosa con tal de sacar dinero. Venían de todas partes de la isla, aunque los mejores hacían el viaje desde Oriente. Esos eran los que más se atrevían, los más necesitados, y que resultaba mucho más fácil conseguir de ellos los favores. Un poco de compañía en medio de tanto desamparo sería más que suficiente, algún dinero. Cinco dólares no era tanto, dijo el amigo, y Jorge Ángel fue al Payret, y pasó toda la tarde mirando a los muchachos recostados, a los muchachos caminando con sus ropas apretadas. Volvió solo porque no se atrevió con nadie ni aceptó conversación. Muchos días así, dando vueltas, esperando a que alguien lo abordara. Disney Yanier fue el primero en atreverse, le preguntó en qué andaba por allí. Dando una vuelta, refrescando, respondió Jorge Ángel. Y el otro dijo que podía acompañarlo si pagaba cinco dólares. En el salmo de esa noche escribió sobre el dinero. «Ningún dinero paga la vida de un hombre. Así le dije al chico que respondió que era muy cierto, que ningún dinero pagaba a un hombre la vida, pero sí una Coca Cola, unos Adidas, que la vida estaba dura, y habló del hijo que tenía, de la madre enferma, del padre muerto, de la casa en ruinas, de los zapatos con un hueco, de sus veinte años, de la pinga grande, blanca y con venitas, la cabeza roja y muy brillante. Ay, padre, y le miré el torso. Ay, padre, y me toqué el bolsillo. Ay, padre, y lo llevé conmigo, y le ofrecí mi cama, y quise conversar, averiguar más de su vida, quise retenerlo como antes hice con Ovidio, y le serví un trago, whisky, y Disney Yanier abandonó el pulóver. Y mientras dejaba desnudo el pecho, me prometió que cuando volviera vendría ataviado con sus ropas militares, que era un guardia, dijo, y no sabe usted cuánto me gusta el uniforme militar, sobre todo cuando se ve colgando de un perchero. Él aseguró que me iba a gustar muchísimo despojarlo de tanta ropa verde y oler luego sus sudores, y disfrutarlos, y apagarlos luego con jabonaduras infinitas. Lindo el torso, padre, hermosísimo, lo mismo lleno de secreciones apestosas que bañado por mis manos. Lo miré de frente, lo vi ancho, musculoso; y también de lado era un Adonis, tan linda la nariz, tan resaltados los pómulos, tan angulosa la mandíbula; y subían las pronunciadas curvas de sus pectorales perdiéndose en las axilas, qué precisión, padre, qué belleza. El dinero no lo es todo, le dije, y miré el abdomen, sus entrepiernas, y lo invité en silencio a que se despojara, y desacordoné los zapatos y alabé sus pies, como antes ensalcé la divinidad de usted. Perdóneme, padre, pero no pude contenerme y lo besé, lo llamé como solo debe nombrarse a Dios. No lo llamé con el apelativo de un apóstol. Mi rey, le dije, y me puse a contemplarlo. Yo lo coroné, padre, mi Dios. Me habría quedado así toda la tarde, mirándolo, y también la noche, adorándolo, advirtiendo de lejos su belleza. ¿Alguna vez me revelará usted por qué resulta tan desconcertante la belleza? Y mi boca fue corona de laureles, una y mil ofrendas le ofrecí, y cinco dólares, y le habría dado más para que no se fuera, para que se quedara a dormir en mi cama, junto a mí, para que se hubiera quedado así toda la vida y me despertara cada mañana besando mi espalda, poniendo su sexo erguido en mi hendija depilada, al menos hasta que apareciera uno mejor en los portales del Payret. Ay, padre, me gustaría ser más simple, disfrutaría del presente si mi avaricia con los hombres no transformara el deseo; siempre una luz bien a lo lejos. Siempre me hago planes, pienso en el futuro, lo hago mi amante aunque sea por un rato, y le soy fiel. Cada vez hablo a los hombres que se desnudan para mí, no me basta acariciar, no es suficiente que se me metan dentro, yo les hablo para que los desafíe mi palabra, para que ofrezcan alguna señal de lo que será mañana. Hablo porque me enerva la palabra. Pronuncio porque me siento más cerca y mejor amante, y me vuelvo siervo, soy esclavo.

Yo hablo porque mi palabra los seduce y compite con la belleza de sus cuerpos, tanto como el dinero que luego dejo en sus bolsillos. Qué otra cosa puedo hacer. Y sería mejor no pensar en el futuro, abalanzarme, como dice mi amigo de Fomento que debo hacer. Él tiene mejor suerte, prefiere reclinarse muellemente para elegir su presa, y luego, sin transiciones, zangolotea gozoso con los glúteos níveos y lampiños, y con el hueco ajado que tiene en medio de las nalgas recibe todo cuanto ofrece el macho. Al de Fomento no le espanta la genuflexión, según dice, la pinga es el santísimo sacramento, y mucho más. Al de Fomento le encanta burlarse de mí, de mis torpezas para hacer conquistas, dice que los hombres se me escapan porque no tengo sandunga; y como adora, casi tanto como a la pinga, la lingüística y la gramática, se llama a él mismo el verbo, y a mí me nombra adjetivo. Ay, padre, somos tan diferentes, y también muy parecidos, al menos así dice mi amigo de Fomento, el que adora los placeres que dan los hombres y la gramática, el que afirma que los dos somos antítesis y oxímoron. Y también asegura, porque gusta del francés, que somos la *liaison*; yo, la consonante final y muda, él, la vocal que sigue, la que suena. La verdad es que preferiría ser como él, pero soy tan diferente... Soy impreciso, padre, soy verboso aunque prefiera ser puntual. Soy torpe. Soy una farsa».

Con Ramón no fue muy diferente. Pasó la vida provocándolo, desde los días en que andaba haciendo saltos en la calle. Al menos eso escribió en el Diario que no aparece. Pasó años suponiendo algún encuentro, y escribió más tarde en su cuaderno. Escribirlo era casi como tenerlo desnudo junto a él. El verbo adelantándose a la acción, describiéndola, haciéndola real. Acostado imaginaba las conversaciones que tendrían, ponía palabras en boca de Ramón, en la de él mismo, se masturbaba, y era ese fluir de las palabras lo que más lo exaltaba. Ambos estaban desnudos y en la cama, ambos conversaban, y él se masturbaba ideando los detalles, cada frase, un guiño, un beso tierno, y hasta podía terminar, no en el momento en que Ramón lo penetrara, podía terminar, simplemente, cuando el otro dijera cualquier cosa que hiciera a Jorge Ángel sentirse agasajado, reclamado. «¿Me cortas las uñas de los pies?». Así podía pedir Ramón y el otro se exaltaba. Le excitaba suponer que Ramón intentaba seducirlo, y eso pretendió el día antes del incendio. Después que le dio el regalo. Cuando lo miró sonreír quiso besarlo, pero se contuvo. Esperó a que se quitara la camisa con el pretexto del calor, y del whisky, que era fortísimo. Siempre invitando a beber alcohol, porque el alcohol ayuda, hacía desparecer las inhibiciones de sus invitados y también las suyas. El alcohol le permitía averiguar; simulaba un agasajo para retenerlos y se hacía el dadivoso. Y Ramón bebió también, y abandonó la camisa. El pecho no era el mismo que contemplara antes, en aquellos tiempos en que su vecino saltaba en la calle ayudado por la pértiga. Le habría gustado verlo intacto, como lo miró en aquellas carreras en que se aferraba a la vara, y luego en el salto, en la caída. Ya no era igual. Estaba flaco Ramón, desgastado, deshecho. Jorge Ángel no vio anunciarse los pectorales definidos, no describió las curvas suaves que antes disfrutó en sus músculos. Esperaba un pecho helénico, el mismo que antes disfrutara con miradas, el mismo que antes añoró tocar, pero no fue lo que encontró, ni siquiera le pareció cercano al torso del Belvedere; la estatua mutilada mantuvo el pecho fuerte y definido después de tantos años, el de Ramón no era ya elegante y musculoso, era esmirriado, casi enteco, y pálido. Jorge Ángel tuvo ganas de llorar por los recuerdos.

Jorge Ángel esperaba por Ramón y miraba el torso, imaginaba las dos piernas, la mano y el antebrazo que faltaban. Y no quería que respondiera agradecido, aguardaba la mirada cómplice, una palabra. ¿Cómo iba a acercarse al mutilado? Y le sirvió otro trago, para rozar su mano y que se decidiera al fin, como lo hizo. Ramón tomó una mano a Jorge Ángel y la llevó hasta donde estaban sus fuerzas levantadas, y esperó a que lo despojara de sus pantalones recortados. Gozó Ramón guiando a Jorge Ángel para que se acomodara apretado a la pértiga, para que se prendiera afectuoso y se encajara, que apretara para fijar la vara y conseguir el mejor salto. Jorge Ángel lloró escuchando al mutilado que lo llamó: mi ángel.

Jorge Ángel no encontró lo que buscaba y sintió pena, rechazó a Ramón; le habló otra vez de Nueva York, del edificio Chrysler, el que Ramón trazaba en sus dibujos, el mismo que traspasaba en su salto con la pértiga. Fue Jorge Ángel quien le habló la primera vez del edificio, era su preferido de entre todos los que se levantaban en Manhattan, le gustaba tanto como el gran salón del trasatlántico Normandie, también joya del *Art Dèco.* Jorge Ángel le dio diez dólares a Ramón y le pidió que se marchara. Ramón dijo que debía matarlo, que lo haría si alguien se enteraba de lo que había pasado entre ellos, que en lo adelante iba a ser suyo. «Te mato si dices algo. Te mato si no eres mío».

Los vecinos insisten en buscar entre los escombros y en culpar a Jorge Ángel del incendio que devastó el solar. El policía quiere que se calmen, que no atropellen las palabras, que hable uno solo, que hay que poner orden en las declaraciones. El policía quiere decir que lo que pasa por extraordinario, lo es solo con referencia al orden, solo que se enreda y los vecinos no lo entienden. Los vecinos hablan sin cesar y culpan a Jorge Ángel, a sus invitados. Los comentarios que hacen los que vivieron tan cerca sustituyen al salterio decorado. Lo mejor sería que apareciera, así el policía que se encarga de aclararlo todo tendría indicios más confiables, y no ese guirigay de la gente que anda hurgando en los escombros.

Muchas cosas de las que guardaba el maricón valían una fortuna. Por eso buscan sin que les importe el calor de las cenizas, porque si aparece algo lo podrán hacer suyo a escondidas del policía, porque si comprueban que verdaderamente su valor es inestimable, podrán venderlo, hacer algún dinero para comer después.

Hay quien dice que la mayólica pudo ser centro en la discordia, que se pusieron de acuerdo para robarla y Jorge Ángel los descubrió, que en el forcejeo cayó el jarrón al suelo, se hizo añicos. Estaba tan orgulloso del David negro dibujado, que se puso a dar gritos cuando lo vio roto, desmembrado el negro, en menudos pedazos el jarrón. Los invitados, los ladrones, le exigieron al maricón que se callara; porque no ofreció silencio le golpearon la cabeza con un candelabro de siete brazos que lucía en la repisa. Un golpe de plata en la cabeza es algo perfectamente serio, casi mortal. Lo desnucó el candelabro que empuñó uno de los invitados. Pudo ser Disney Yanier, se puso muy celoso cuando descubrió que no era el centro en la velada, y otro prendió fuego, y todos corrieron luego con las cosas de más valor. Jorge Ángel le prometió al muchacho que lo atendería para siempre, que iba a protegerlo y así no tendría que volver nunca a Cacocum, su casa del solar sería también la suya, que no le haría falta meterse en la cama con viejos descarados para ganar dinero y pagar el alquiler de una buhardilla, y hasta le dijo que cocinaría cada día platos exquisitos, porque le encantaba cocinar para un hombre que fuera suyo, que le compraría todo lo que se le antojara: Adidas, Pumas, sandalias modernísimas, pulóver Dolce & Gabbana, y Armani, y *jeans*, muchos, los que quisiera, de cualquier marca, y una billetera en la que siempre pondría dinero, y una bicicleta todo terreno, una moto, un Audi. Mientras el maricón andaba solícito por la casa atendiendo a los invitados, Disney Yanier escuchó las intenciones del resto de los muchachos, todos tenían planes con Jorge Ángel. Yunior no volvería a La Perrera porque estaba muy distante de La Habana ni Yorjander al paisaje agreste del lejano Dios Ayuda. Tacajó, El Retrete, Tumbadero, La Cuaba, Mala Noche y Caisimú perderían a sus muchachos más hermosos porque pretendían quedarse a vivir en la calle de Aguiar, para conseguirlo harían cualquier cosa, todos estaban dispuestos a conquistar al maricón. Alto Cedro, Marcané, Cueto y Mayarí eran pródigos en sequedades, en cualquier calamidad. Todos aseguran que fue eso lo que pasó, un golpe muy fuerte en la nuca que lo tiró al suelo, luego el dolor, luego los últimos jadeos, luego la muerte, luego el robo, luego el fuego. Pudo ser el golpe sobre la nuca, pudo ser otra cosa, pero una fiesta así termina siempre mal. Si no fue de esa manera, por qué no aparece nada entre los escombros. Algún indicio debe de haber quedado. Hay que seguir buscando.

Jorge Ángel tenía muchos enemigos. El de Fomento era uno de ellos, quizá el más peligroso. El difunto lo desafiaba, alguna vez le robó un novio, lo tuvo en su cama por dinero. Tuvieron muchas grescas. Los maricones son muy escandalosos. El de Fomento prometió matarlo si se enteraba de que volvía a meter a Yindre en su cama con la promesa de sacarlo del Pedrero. Nadie había visto al amigo de Jorge Ángel en La Habana, pero eso no importa, él era muy grácil, apenas perceptible, casi una gacela. Los maricones son tremendos, todo lo dicen. Alguien pudo avisar al de Fomento que Yindre estaba en la fiesta. Los maricones son chismosos. Los maricones son celosos. Los maricones son violentos. Hay que seguir buscando algún indicio, en cualquier momento puede asomar una prueba, salir de los escombros. Jorge Ángel era muy tramposo y quizá disfrutó de todos los invitados y no quiso pagar luego. En el solar escucharon las risotadas. En la fiesta todos quedaron desnudos, y el que está muerto fue de brazo en brazo, de torso en torso, de boca en boca, de pinga en pinga. Era un pervertido, se tiró en el suelo para que los invitados lo patearan. Alguno pegó fuerte. Jorge Ángel vio venir el pie, se preparó para recibirlo con una dentellada, con un beso, y calculó mal: el talón dio en el cerebro, murió instantáneamente. El de la patada era karateca y muy diestro en el manejo de los pies, fue campeón un montón de veces. Los maricones son muy débiles, casi unas mujeres.

¿Y si Ramón cumplió su promesa? ¿Y si Ramón subió reptando la escalera? ¿Acaso no le advirtió que no recibiera a nadie? Los maricones son infieles. Ramón esperó a que terminara la fiesta y le cortó el cuello. Los maricones sangran más que el resto de los humanos. Ramón prendió fuego antes de marcharse, para que la casa cumpliera con su destino; igual ocurrió con el trasatlántico Normandie, se quemó completo, ya no es *Art Déco*, es solo historia, como la casa del maricón, como el solar todo. Hay un vecino que dice al policía que entre los gritos de la pelea se escuchó el nombre de un amigo mexicano del difunto. Carletta Tijuana mandaba cien dólares cada mes a Jorge Ángel para que los entregara a Yaroldis, que era su novio. Carletta estaba muy enamorado de su muchacho y nunca dejó de mandar el dinerito para que pudiera alquilar un cuarto y hacer sus comidas como Dios manda. Jorge Ángel dio a Yaroldis cada centavo que mandó Carletta Tijuana, pero solo después de que le diera placeres en la cama. Cinco dólares pagó por cada encuentro al novio de Carletta. Los maricones son traidores. Yaroldis se enteró y atravesó la garganta de Jorge Ángel con su pinga enorme, el pájaro murió con la boca llena, broncoaspirando. Quizá no tenía ni un centavo y no pudo cumplir con sus promesas. Si la mayólica no aparece entre las ruinas, es señal de que la había vendido, de que jamás la tuvo. Los maricones son tramposos, son mentirosos, son vanidosos.

No pudo escribir un salmo el día de su cumpleaños, antes lo asesinaron. ¿Y si nunca existió el salterio decorado? ¿Y si el maricón era un embustero como dicen los vecinos, que aseguran que hicieron bien los verdugos? Una cuerda se enredó en su cuello, y él de rodillas, suplicando. Alguien haló los extremos de la soga apretando el cuello a Jorge Ángel, que llenó de súplicas la pequeña sala de su casa, y luego vino el fuego, un fósforo escapado de las manos de uno de los invitados cayendo en el colchón donde no cabían todos sus amantes, una chispa sobre un colchón inició el gran fuego que destruyó al trasatlántico Normandie, el que tenía un salón muy *Art Déco,* como la sala de la pequeña casa de Jorge Ángel, quizá era el destino de ese estilo, quizá por eso creció el fuego y estallaron estruendosas todas las botellas de whisky, y las de vodka, y las de ron, y en cenizas se convirtió la cena suculenta que preparara como agasajo a sus invitados. En cenizas se trocó el cerdo, y los frijoles, el arroz y los tostones, achicharrado el arroz, derretido el queso, todo hecho polvillos, como el maricón.

Jorge Ángel no escribió ninguna alabanza, como prometiera en el último de los salmos de su salterio decorado, pero en medio de la asfixia, entre las llamas del fuego inmenso, miró el cuadro; un Cristo trazado en líneas rectas, en espirales, en segmentados círculos. Hincado sobre el suelo, casi estrangulado, Jorge Ángel miró a su Cristo muy *Art Déco.* Antes del último resuello se pudo escuchar la pregunta que le hiciera Jorge Ángel a Jesús: «Maricón, ¿por qué me has abandonado?».

Nació en La Habana en 1977. Es miembro de la Unión de Escritores y Artistas de Cuba y ha recibido, entre otros, el Premio Pinos Nuevos (2000), el Premio Luis Rogelio Nogueras (2002), el Premio Félix Pita Rodríguez (2003), el Premio Calendario de Narrativa (2003), el Premio José Antonio Echevarría (2004), el Premio Ada Elba Pérez (2005), el Premio Cirilo Villaverde (2006) y el Premio José Jacinto Milanés (2013). Ha publicado

Raúl Flores Iriarte

los libros *El lado oscuro de la luna* (2000), *El hombre que vendió el mundo* (2001), *Bronceado de luna* (2003), *Días de lluvia* (2004), *Rayo de luz* (2005), *Balada de Jeannette* (2007), *La carne luminosa de los gigantes* (2008), *Paperback writer* (2010) y *La chica más hermosa del mundo* (2014). Sus cuentos y artículos han sido publicados en revistas y antologías en Cuba, España, Estados Unidos, República Dominicana, Italia, México y Brasil.

Luz de mi vida, fuego de mis entrañas

Lolita leía Lolita aproximadamente al mismo tiempo que yo decidí irme al infierno.

Ella no me hizo caso. Ella nunca me hace caso. Pasaba las páginas una a una como dulces de limón y no despegó la mirada del libro cuando decidí irme.

¿Alguna vez te has leído esta mierda?, me preguntó ella, Está muy buena.

Yo cerré la puerta. Atrás quedó Lolita con Lolita en el regazo, página tras página, dulces de limón. Nabokov para las masas y Cranberries desde la *CD player, Wake up and Smell the Coffee,* pero no era café, sino puerta gris plástico para el pensamiento y carmelita para la ilusión. Como un baño público, o algo así. Créeme, de veras créeme cuando te digo que te quiero.

Ella después tiró toda la ropa por la ventana. Era un quinto piso y no supe qué hacer. La vida atrás. Un cigarro, polvo en la nariz y la censura no me romperá la boca por fallarle a las buenas costumbres. El caso es que mis ropas volaron ese día con pretensiones fallidas de palomas.

Yo las vi caer y después me fui al infierno.

Estas no son horas de venir, me dijo el encargado, ¿No podías haber escogido una hora mejor? Saludable, rojo, como corresponde, tras el buró con aire ausente, Ven mañana, Mañana será un buen día. Todos los días son buenos, le dije yo. Y él asintió, Sí, todos los días, pero ya no es día, sino noche, y yo miré el reloj y vi que era verdad, era noche, noche cerrada, nunca aclara la cosa para los perdedores a muerte.

Fui al parque, pero ya no había cigarros, mucho menos polvo, y fui hasta el *drugstore*, que ya no era tal, sino bodega barata o cafetería estatal, dependiendo de cuán mal puedas sentirte, y yo me sentía mal, realmente mal, ¿Hay cigarros?, y dijo el tipo Sí, y yo por poco le doy un beso, no se lo di por la cuestión homofóbica, y porque eran treinta centavos, capital no disponible para mí en ese momento, No tengo dinero, le dije al tipo aquel, y él me regaló dos cigarros sin costo alguno.

Volví al banco del parque y se me acercó Pam. Pam fue hombre alguna vez en su vida. Ahora se dedica a dar el culo en sus noches libres. Y puedo asegurar que Pam tiene muchas noches libres. El punto es que ya no es hombre, tiene tetas más grandes que Pamela Anderson y eso ya es mucho decir. Por eso le dicen Pam.

Diminutivo de Pamela.

Le conté sobre Lolita. Luz de mi vida, fuego de mis entrañas, dijo él/ella. ¿Que coño es eso?, le dije. Pam llevaba una botella de ron siete años y ya no tuve más preguntas. Dormí en el banco, con algo de alcohol en las venas, hasta que vino la policía a despertarme.

Fui al cine y allá me encontré a una chica que llevaba tres noches sin dormir. ¿Qué se siente?, le pregunté, Como tener el cerebro lleno de algodón, contestó ella, lo ves todo en cámara lenta, adrenalina por todo el cuerpo, deberías probarlo, en serio, deberías probarlo, Ya, le dije. Fuimos hasta su casa y allá volví a dormir un poco más.

Cuando desperté ella no había dormido nada. Cuatro noches sin dormir, me dijo en voz baja, con esta son cuatro noches. Soy la mejor en mi trabajo, pero un tipo ahí quiso propasarse conmigo. ¿Lo dejaste? No, claro que no, se horrorizó ella. Se llamaba Judith, ella, quiero decir, no el tipo que quiso sobrepasarse, ese tipo no tiene nombre y probablemente tampoco tenga madre, no tuvo más remedio que abandonar al tipo con todos sus complejos y, de paso, abandonó también el trabajo, pero como soy la mejor estoy segura de que me llamarán para volverme a emplear. ¿Sí?, le dije, y ella quizás notó algo de sarcasmo en mi voz, pero el teléfono sonó y ella tomó el auricular como si le fuera la vida en eso, pero solo era la vecina para alguna bobería, Eso es lo malo de las vecinas, se quejó ella, están solo para joderte la existencia.

Yo extrañaba a Lolita.

Mucho.

Se lo dije.

Luz de mi vida, fuego de mis entrañas, susurró ella.

Y yo le hablé del infierno.

¿Hay algo más allá que yo deba saber?, preguntó entonces. En la radio estaba sonando Paul McCartney con esas tontas canciones de amor que hablan de corazones rotos y *so sad, sometimes she feels so sad* y *live and let live you know you did you know you did you know you did* y yo le dije que no sabía lo que estaba haciendo. Salí y mi ropa ahora estaba por toda la ciudad. Colgando de los cables, en las calles, todos los calzoncillos, todas las camisas, todo, absolutamente todo.

Como un horror o una llaga abierta en medio de la espalda bronceada por el sol. La luna brillaba alto y qué le voy a hacer, pensé, y no pensé que el amanecer se demoraba demasiado, pero estoy seguro de que la idea se me pasó por la cabeza.

Aún llevaba en el bolsillo trasero del pantalón los restos de la botella y me demoré uno dos o tres segundos para derramar mi soledad a lo largo de la avenida. Como un río de adolescentes impúdicas esperando para ser desfloradas en la cola de la farmacia local.

Pam aún seguía dando vueltas por ahí. Me propuso sexo gratis, yo le hablé de Judith y él hizo un mohín con los labios y me preguntó que quién coño era Judith y yo le dije No te importa, y él Se lo voy a decir a Lolita, no a la de Nabokov, sino a la tuya, esa del quinto piso, y yo No te atrevas, pero después me acordé de que la había dejado para irme al infierno y le dije Atrévete si quieres, pero él no quiso, me prestó sesenta kilos y pude comprar otros dos cigarros.

Judith lleva cuatro noches sin dormir, le dije, tiene los ojos hinchados como balones de fútbol y ojeras que le llegan a las tetas. Pam se entusiasmó, Pam se entusiasma casi con cualquier cosa, y me preguntó si tenía hambre. Hombre, le dije, hambre sobra, y me dijo Vámonos a comer algo, pero antes invita a la insomne, tengo que verla con mis propios ojos, recogimos a Judith y nos fuimos a comer pizza o cualquier bobería por ahí.

Pam tenía que ver a Judith con sus propios ojos y Judith también tenía que ver una pizza con sus propios ojos. Todos felices, todos contentos. Pam mirando a Judith, Judith mirando la pizza y yo mirando a Britney Spears que acababa de entrar en ese momento de la mano de un tipo que se parecía mucho a Jeremy Irons.

Pam le preguntó Cómo haces para no dormir y Judith se encogió de hombros. Pam suspiró Si yo pudiera... y ella le dijo Muchacho, tienes las tetas más grandes que yo, lo cual es mucho decir, Más grandes que Pamela Anderson, dijo él/ella, Más grandes que Britney Spears, dijo ella y yo le dije Habla bajito, no vaya a ser que te oiga, ¿Quién?, Quién va a ser, Britney, entonces señalé tres mesas más allá.

Jeremy Irons y Britney Spears.

Mira, el delicado balanceo de los cristales sobre una página en blanco, dijo Judith, ¿qué coño estás hablando, nena?, y ya para esas alturas Pam le había hecho señas a Jeremy para que se acercara y yo le había hecho señas a Britney para que se acercara y nadie, absolutamente nadie se había dado cuenta del juego de señales recién instaurado entre todos nosotros. Jeremy y Brit-Brit vinieron y los invitamos a comer.

Siempre me han gustado tus películas, le dijo Pam a Jeremy, Y a mí tus discos, le dije a la rubia. *Baby one more time* siempre ha sido una de mis canciones favoritas y Brit-Brit dijo que ella odiaba esa canción, Oh, Dios, cómo odio ese maldito tema, siempre alguien se encarga de sacarlo a relucir y Jeremy tosió y dijo Creo que he pillado algún catarro o algo así, solo espero que no sea el SIDA, Pam sonrió y le preguntó a Jimmy (brutal apócope de Jeremy) si le gustaría algo de sexo gratis. Jeremy Irons pareció no escucharlo y habló de una tal Lolita, no Dominique Swain, sino otra. Luz de mi vida, fuego de mis entrañas, suspiró Britney, ella misma una Lolita de colección hasta hace unos cuantos años atrás. Dios, solo espero no enfermar, dijo Jeremy, me temo lo peor. Siguió comiendo y Judith también y todos tranquilos, todos en paz.

Después nos fuimos al parque. Ellos querían ver la estatua de Lennon *imagina que soy un soñador, pero no soy el único,* bronce para Winston, aunque nunca vino a Cuba, y el Abbey Road es uno de los mejores discos jamás hechos, pero me perdonas por decirlo Johnny, no eres más que un Don Nadie, No digas eso, dijo Brit-Brit, él era un genio (fenómeno Cobain-Morrison-Joplin-Hendrix-Lennon: después de morir te conviertes en un genio, un icono, un héroe, lo que quizás nunca quisiste ser en vida) y yo le dije Sí, tienes razón, cualquier cosa que Britney quiera decir yo le diré que sí, mientras ella me diga que sí a otras cosas que yo quiera decirle y ella me dijo No te hagas ideas, no puedes hacerte ideas, porque aquí estoy yo, una superestrella del pop, y he besado a Madonna y claro está que no te voy a besar a ti, muerto de hambre, y todo lo que me hace falta es un cigarro, le dije, ella sacó una caja de More y alumbró la noche con la punta de su encendedor.

A estas alturas Judith dormía el sueño de los justos en el banco de al lado. Tenía la cabeza sobre los muslos de bronce del viejo John y Jeremy le tocaba las tetas a Pam y Pam se las dejaba tocar encantado, encantadísimo, ¿son de verdad?, preguntó Jimmy, No, reconoció Pam, pero en este mundo, todo es lo que quieras creer.

Las ojeras de la chica insomne iban desapareciendo mágicamente. Le he prometido un empleo, dijo Brit-Brit, hará los coros para mi próximo disco, si alguna vez llego a hacer un próximo disco, estoy pensando en retirarme, si alguna vez lo hago, ella me hará los coros.

Mañana me voy al infierno, le dije a Brit-Brit. Ya entiendo, dijo ella, pero no intentes propasarte conmigo, soy toda una dama, y después ¿Quieres irte conmigo a Los

Ángeles?, y yo recordé en ese momento que no tenía ropa, no tenía nada de nada, mis camisas volando por toda la ciudad, mis pantalones, mis pañuelos, ciudad nocturna, aún no salía el sol, madrugada larga para tanta espera, Judith durmiendo en los muslos de John, Jeremy temiéndose lo peor, Creo que me contagiaron el SIDA o algo así, Britney bosteza, yo cambiando los tiempos gramaticales y John Winston Lennon imaginando que es un soñador pero, claro, sabe bien que no es el único.

Después vino la policía y nos llevó a todos lejos, muy lejos. ¿No sabes quiénes son ellos?, se horrorizó Pam, Judith no dijo nada, parpadeaba somnolienta y creo que no tenía ni idea de nada de lo que estaba ocurriendo. El policía tampoco tenía idea de nada. No conocía a Britney Spears, mucho menos a Jeremy Irons, así que nos llevó lejos, bien lejos y aunque media hora más tarde ya habíamos salido (hay que evitar problemas diplomáticos) la cosa es la cosa y nada puede cambiarla.

Nos tenemos que ir, dijo Jeremy. Ya se acaba mi estancia aquí.

Yo me quedo dos días más, dijo Brit-Brit, con su dulce sonrisa perlada. Vine a hacer un dúo con Dayanis Lozano y ahora recuerdo que tengo que llamarla. ¿Quieres conocer a Dayanis?, me preguntó y yo le dije que me encantaría, pero extrañaba a Lolita. Jeremy rescató un pañuelo blanco que volaba en ese momento a través de la madrugada y lo miró asombrado. Es mío, le dije, pero te lo puedes quedar. Gracias, dijo él.

Es una puta, dijo Pam, pero él la quiere igual. No hables así de Lolita, le dije, pero Pam se iba ya del brazo de Jeremy.

Ten cuidado con esa muchacha, me dijo Britney, nadie sabe lo que puede ocurrir, se comunica por correo electrónico con todo el mundo y los invita a su casa, o puede que sea a la tuya, tu amigo tiene razón. Es una maldita puta.

No supe si se refería a Judith, a Lolita, o a Avril Lavigne, pero de todas formas le dije No te preocupes, no hay absolutamente nada de qué preocuparse.

¿Te vas al infierno por fin?, preguntó Brit-Brit. No, le dije, me voy a Los Ángeles contigo, el infierno puede esperar. Pero no intentes propasarte, soy toda una dama. No te preocupes, le dije, no lo haré.

Entonces salió el sol, ella me regaló una copia del *In the Zone* autografiado y yo regresé a casa, hogar, dulce hogar.

Lolita ya no leía, Lolita yacía sobre la cama con las tapas rotas y la otra Lolita yacía también en la cama, Boté toda tu ropa, me dijo, pero después me arrepentí y recogí lo que pude encontrar, algunas camisas, algunas toallas, ¿no te vas a poner bravo conmigo?, y yo le dije que no, claro que no, fumamos algo, oímos a los Wallflowers y ella dijo No puedo creer que Britney Spears te haya dedicado ese maldito disco, nos fuimos a la cama y las sábanas fueron bendición para mis ojos cansados, fuego verde, pupilas dilatadas, nos quedamos esperando por algún milagro, pero nada ocurrió y ella dijo Deberías leerte esa mierda de Nabokov, todo el mundo ya se la ha leído y a que no sabes qué actor famoso estuvo por aquí, si te lo digo no me lo vas a creer y creí que te habías ido al infierno, y yo le dije Mañana me voy para Los Ángeles, el infierno puede esperar. Ella se quedó parpadeando y abriendo y cerrando la boca.

Para que quede claro, dijo al fin, no te quiero ni un día más aquí, ni un día más, ¿entiendes?, ¿estoy siendo lo bastante legible?

Si dijo algo más no me enteré, ya para esas alturas yo estaba soñando, la luz apagada, y quizás mañana me fuera al infierno o a Los Ángeles, lo mismo daba, porque ahora no se me ocurría una salida mejor.

Me dejé ir.

Y fui feliz.

Por un rato.

Nació La Habana en 1968. Médico y escritor, es miembro de la Unión de Escritores y Artistas de Cuba y pertenece al Taller Literario municipal del Cotorro y al grupo Palabras In-Co-Nexo. Entre otros reconocimientos, ha obtenido el Premio Camello Rojo de Poesía en 2001, el Premio Alfredo Torroella de Poesía en 2001, el Premio Nacional de Cuentos de Amor

Luis Alfredo Vaillant

de Las Tunas en 2002, el Premio Alfredo Torroella de Cuento en 2003 y el Premio David de Cuento en 2005. Por su relato *Los cuadros de mamá o el día que Marat me visitó por primera vez durante una caravana de los desnudos* recibió el Premio Nacional de Cuento Ernest Hemingway en 2003. Su obra ha aparecido en diversas publicaciones cubanas y extranjeras.

Los cuadros de mamá o el día que Marat me visitó por primera vez durante una caravana de los desnudos

Desde que mamá pinta hombres desnudos vende muchos cuadros, al principio no me gustaban los cuadros, pero mamá es como un gorrión que revolotea de un lado a otro, un ser especial más allá de lo que significa que sea mi madre, es también particularmente modesta y equilibrada, para dedicar su talento a algo tan evidente y perdurable como los artistas plásticos, creo. Yo pretendía eliminarlos a todos, desaparecerlos de mi vida, de mi historia, a menos que ella los tuviera como un borrador, pero se hizo muy famosa y la fama para los artistas generalmente está acompañada por el dinero. Ahora me gustan mucho los cuadros, y los hombres desnudos, por lo que vivimos muy bien, mamá, sus hombres y yo.

Se especializó en hacer versiones de obras clásicas, las pinturas más conocidas donde aparecen mujeres las lleva a su versión masculina pero en desnudo, algo así como desvestir a un travestido. Los pinta primero con ropas y atuendos, después va eliminando cada pieza: tocados, sombreros, sostenes, *brasiers*, hasta dejarlos completamente desnudos, es divertido. Obras únicas son renovadas como los originales. Tiene mucho éxito, compradores exclusivos, coleccionistas famosos, diplomáticos, galerías en el exterior. Ella es feliz.

Mamá, igual que los gorriones, nunca fue estable con sus novios, sus *realsexboy*, como los llama. Dura con ellos tres meses o hasta un año, después se aburre y los deja, los olvida, pero antes pasa por una crisis emocional y afectiva; durante un mes, deja de comer, de bañarse, se encierra en su cuarto, solo toma té y pinta, pinta hombres muertos. Es grande su colección pictórica de novios muertos, generales, guerreros, campesinos, obreros.

Sus novios vivos se parecen a sus hombres, quiero decir a los hombres desnudos de sus cuadros, o al revés, sus cuadros se parecen a sus hombres, no sé. Cuando comienza un pintor nuevo, un estilo o una época, es que ha cambiado de novio, entonces vuelve a ser como los gorriones.

Mamá no sabe cuánto odio los sábados, especialmente el último de cada mes, el día de caravana, como dice ella. Vienen todos sus modelos y los exnovios, pintores famosos, diplomáticos, amigos y amigas; hacen una gran fiesta, comen, beben, fuman, se desnudan, bailan, desfilan uno tras otro, caminan por la casa envueltos en sábanas, a cualquier hora invaden mi espacio, mojan el baño, llenan la casa de humo con sus cigarros, escuchan mi música, toman ron, miran a través de mi puerta, muestran las piernas, los pechos, las nalgas y sus penes como un trofeo, como la carta de triunfo.

También odio los gorriones, mamá dice que son libres, que están en todas partes y hacen lo que quieren, sobre todo que no se esconden para hacer el amor, también dice que son como la alegría y el humo que llenan los rincones, contaminándolo todo, te contagian. El humo se trasmite, penetra, es inevitable, te asfixia, te agobia, te borra los sentidos. Los gorriones entran a mi cuarto, revolotean, se comen las migajas de pan que dejo en los rincones, cargan en el pico cualquier cosa, una hebra de hilo, un pedacito de algodón, todo sirve para hacer su nido, en la mañana se despiertan a la misma hora y comienzan a cantar a la vez, como una alocada sinfonía sin ensayar, y siempre me pasa lo mismo, me despierto sobresaltado.

Yo no salía del cuarto hasta que conocí a Javier. El día que lo vi por primera vez supe que me iba a acostar con él, era 28 de diciembre, faltaban tres días para mi cumpleaños, llovía, eran las seis de la tarde, escuchaba música hindú y me encontraba en una soledad profunda y peligrosa que anunciaba un suicidio la víspera de mi nacimiento; la depresión me comía. Sonó el timbre. Abrí. Lo miré de arriba abajo; él casi no me miró, quiero decir no me miró a los ojos. Me pareció seguro, confiado, imponente. Estaba mojado. El pulóver se le pegaba al cuerpo, se le marcaban sus buenos pectorales y una barriguita de intelectual de 30 años.

—Buenas tardes —dijo, las gotas caían desde su pelo, corrían por la cara y dibujaban la silueta de sus cejas, de la boca mojada. Sus labios gruesos, húmedos y pálidos preguntaron si Camila estaba en casa, no respondí, olvidé que ese era el nombre artístico de mamá, también olvidé, como muy a menudo, que Juana María Pérez era mi madre y que era pintora, ¿cómo se puede ser artista en este siglo con ese nombre? Era algo en lo que estábamos de acuerdo mamá y yo, en su nombre artístico.

—¿Camila? No, no, ella no está.

—Bueno, dile que Javier estuvo aquí.

—Pero pase y espérela, así se seca un poco, hace mucho frío.

—No, gracias, estoy apurado.

No vi más a Javier, quiero decir en carne y hueso. Se convirtió en un fantasma, en una amenaza sexual, en una ilusión óptica de perspectiva, color, luz y sombra, se convirtió en el fetiche de Juana María Pérez, alias Camila, mi madre. Ella comenzó a imaginarlo, a hacer estudios de color, de formatos. Bocetos, dibujos y pinturas se veían por toda la casa. La imagen de Javier se repetía en cada rincón. Personajes destravestidos, desfeminizados y desnudados pasaban por la imaginación de Camila, desde una galería universal de mujeres hasta la imagen viril de Javier. Madonas, bailarinas, *geishas*, damas, prostitutas.

Tenía cinco bastidores montados y pintaba en todos a la vez, una hora para cada uno. Su vida se convirtió en Javier, llenó todas sus expectativas, artísticas y personales. Giocondo, le dice ella, habla de él, de lo bello que es, de su cuerpo, que cómo no lo conoció antes, que él sería un niño cuando ella tenía veinte años, que a veces se le olvida que se llama Javier, y habla y habla. Él nunca venía a la casa, indudablemente se veían en otro sitio donde él posaba para ella, después solo esbozaba y pintaba.

A veces cuando suena el teléfono y ella está en casa yo no respondo, entonces ella sale de su cuarto-taller-seudo-harén-masculino con el pincel en la mano, siempre lleva un pincel, si es él quien está al teléfono comienzan a brillarle los ojos, sonríe y mira el techo como buscando la respuesta que contraste con la frase cursi o la propuesta sexual que seguro escucha, sonríe, instintivamente como un impulso el pincel deja de ser un apéndice de su cuerpo y se convierte en el más perfecto explorador y objeto sadomasoquista femenino, sonríe, mueve el cuello hacia los lados, se rasca la cabeza, apoya el pincel en la cadera, lo sube, lo muerde, lo vuelve a morder, sonríe, asiente, da una respuesta, sí, claro, eso mismo, frunce el ceño, no, eso no, lo chupa, lo baja, comienza a moverlo alrededor del pezón, lo mueve, lo gira suave, eleva una ceja, sonríe, se ríe a carcajadas y responde: allí estaré, y cuelga. Entonces entra al cuarto, sabe que la observo, cierra la puerta, imagino lo que hace ya no con el pincel, a la hora sale del cuarto lista y perfumada a encontrarse con él.

Comencé a odiarlos a los dos y como venganza me masturbaba pensando en Javier, frente a Javier, tocando a Javier. Por la noche me llevaba algún cuadro a mi cuarto. Ella pasaba de un estilo a otro y yo pasaba de un amante a otro como el más fiel porno adicto, pero siempre imaginando a Javier. Sus pectorales, las manos grandes, firmes y seguras, las piernas rectas, pálidas, velludas y musculosas aparecían en las telas que ganaban colores cada día.

El primer amante fue El Giocondo. Camila como una reencarnación de Da Vinci reproducía su cuerpo desnudo, sonrisa incluida. Javier sonreía serenamente como pensando en el vacío, burlándose de la gente, esbozaba una mueca de la ironía o complacía a la pintora que le dijo que pusiera esa expresión de placer postcoito, pero más allá de la capacidad de Camila para reproducir aquella universal sonrisa, Javier pensaba en mí, yo era el vacío, me miraba a mí, solo a mí. Estábamos solos, en una noche silenciosa. Javier frente a mi cama. Puse un disco de música antigua y encendí un palito de incienso, me acerqué, olfateé, el pelo le caía sobre los hombros, parecía mojado. Era buena Camila, éramos El Giocondo y yo. Lo besé, sus labios seguían sonriéndome, rocé sus párpados, no cerró los ojos, me miraba, toqué su cuello, me ericé, su pecho es lindo, es realmente lindo, blanco y limpio como el de un niño, lo besé, intenté morderlo, acariciarlo, apretarlo, tenerlo entre mis manos. Fue mi primera noche con Javier. Después vinieron otros cuadros, pero siempre era Javier el que me acompañaba. Gracias al pincel de mamá estuve una noche con *Eros ante el espejo* y ahora pasa la *Caravana de los desnudos*, con los que bailo, fumo, sueño, y siempre Javier, se convierte en un hombre gordo de Rubens, en los bailarines de Degas o *Los señoritos de Avignon* de Picasso. Todo es como una repetición de ideas premeditadas, vividas, como si se cumpliera una sentencia, una visión anunciada, Javier y yo en un parque, Javier y yo en la playa, yo despidiendo a Javier que se va en tren quién sabe a dónde, pero siempre desnudo, mostrando su cuerpo, mezclando su vida con la mía, mezclando la vida de Camila con nuestras vidas, mezclando todas la escenas pictóricas logradas por Camila con mi soledad, con mi quietud aparente frente a Camila, como un videoclip, el que veo ahora desde mi cama en el que las bailarinas aparecen y desaparecen, van y vienen, los hombres apenas se muestran, se esfuman, las secuencias son las mismas, a veces imperceptibles, repetidas, degradadas, agresivas, androgénicas, proféticas, futuristas, agobiantes, efusivas, exóticas, eróticas, ambiguas, carnavalescas, vulgares, cotidianas, pornográficas. El sonido es contagioso igual que las imágenes, una apoteosis postmoderna y audaz de imaginación y magia que me atrae como un campo magnético, una droga, como mi madre, que bailó, y baila ahora en mi cuarto y habla mirándome a los ojos, yo soy un gorrión, ella es un gorrión que baila, canta y suda, la vida hay que vivirla, se desviste y me dice que la vida hay que vivirla, dice que soy un aburrido, eres un aburrido, que no bailo, no sabes bailar, que no me río, no te burlas de la gente, me dice mientras deja caer el vestido, ella quiere que sea como ella, tienes que ser como yo, que no tiene límites, no tengo límites, que se entrega al amor aunque él sea más joven, si llegó el amor bienvenido sea, me dice desnuda, bailando, riendo a carcajadas, alegre como los gorriones, invadiendo el espacio, como siempre, ella y yo, sin nadie entre nosotros, sin otros desnudos. Una mañana entró a mi cuarto con una aureola que nunca he podido definir pero que me atrae, me subyace, me soborna, me somete; te traigo el café dormilón, me dijo mirándome y acariciando la cara, me besó la frente; eres como tu padre, nunca pude resistirme a su mirada de niño, a su mirada de lástima, yo no entendía, no solo no entendía sino que no sabía, nunca conocí a mi padre, ni en fotos, era un fantasma que nunca supe dónde ubicar, por momentos era un hombre adorable, bello, inteligente, de pronto se tornaba en el más vil traidor y egoísta que la abandonó en este país con un hijo al que ni conoce, otras veces era el único hombre que la había hecho sentir lo que ningún otro, que por eso lo amó. En otros momentos también se había enamorado por su sonrisa, por su ingenuidad o porque era un caballero. Ella siguió acariciándome pero era a mi padre, o mejor, al hombre que fue mi padre. Después todo fue como ella quiso que fuera.

Ahora está Javier. Sé que ella bailará para él, al ritmo de un tambor africano, sé que estará rodeada de luz, y que él la observará y ella riendo acariciará su pelo, sé que lo hará, se quitará la ropa como una puta francesa, experta, fría, sin escrúpulo, lo besará, morderá sus labios y él le morderá los pezones y ella también sufrirá en silencio como una *geisha*, sé que lo hará y no seré más lo deseado, lo oculto, sé que ella se ensillará en su pene suavemente, se moverá mientras le acaricia la espalda, las caderas, los pezones, y así así Javier ay ay Giocondo sí sí sí más más más así así ahora ahora ya ya más más, gritará, se moverá, morderá, besará como Camila. Ella lo comienza todo, dice que el principio de todo es lo más importante, que es determinante, que es la evolución de todo, habla con palabras muy definitivas, como si todo tuviera límite, no su límite indefinido, sino el fin de lo que está a su alrededor, por eso siempre es la primera en hablar, en llorar, en olvidar, en tomar el control de la situación, en traicionar. Me acaricia siempre primero, me besa, habla sin dejar que me sorprenda, que la interrogue o que dude de lo que hace o dice. También he intentado tomar la iniciativa pero no puedo. Ya lo dijo Piglia, mi lógica es toda ella resultado de un corte en esa cadena que declina filiaciones y hace de la muerte el resguardo más seguro de la sucesión familiar, no hay otra forma de decir aunque haya formas diferentes de demostrarlo. El nexo es más fuerte y seguro que la muerte.

Todo cambió cuando mamá se encerró en su cuarto, pintaba, creo, no comía, nada era como al principio, como habitualmente, Javier no llamaba ni ella hablaba de él, ni cantaba, ni escuchaba música, ni pensaba en mí, bueno hacía tiempo que no pensaba en mí desde que apareció Javier, pero ahora era peor, no la veía, no salía del cuarto; siempre era igual cuando comenzaba a odiar a alguno de sus hombres, los mataba, los reflejaba, los representaba muertos en sus cuadros. Marat fue el elegido. Camila decidió pintar una apología de la muerte, su odio hacia Javier era proporcional al amor que le había entregado, la muerte se tornaba fría, diáfana, directa. La muerte de Javier sería una de las más trágicas, el suicidio más famoso de la historia de las manos y pinceles de mamá, ahora, en los cuadros de mamá.

Mi odio hacia Javier también había aumentado por enamorarse de mamá y por dejarla sufriendo, la muerte de Javier se presentaba como una posibilidad real y aceptable, si Marat-Javier había sido muerto por Camila, entonces Javier debía morir por mí. Hay muchas maneras de hacer daño, si alguien está dispuesto a matarse acabará consiguiéndolo siempre, lo mismo que un asesino. Si alguien se empeña en matar y no le importan las consecuencias acaba matando a quien quiere, no hay nada que hacer, lo tiene todo de su parte si no le importa lo que pase luego.

Hoy es día de caravana, Javier está aquí, lo sé, y eso me alegra, escucho la música, las risas, la alegría de todos que invade cada rincón como si fuera necesaria para todos, lo cubre todo como el aire, me asfixia como todo lo ajeno, como el aire, como el cuarto lleno de gorriones. Algo triste, escabroso, inevitable, ronda mi cabeza: las filiaciones familiares, los límites indefinidos, la algarabía de los gorriones. Javier caminará toda la casa, ubicando en su mente un espacio que cree le pertenece, un espacio que solo conoce por referencia, husmeará, buscará, tocará; necesita respirar el aire de Camila, los límites vitales de un espacio donde se huele su espíritu, su vitalidad, su cuerpo desnudo; pero también se huele su muerte, su cuerpo desnudo en una bañadera dejando un testamento.

Este es el mejor momento de la fiesta, oigo la voz de Camila leyendo el poema de Maurice Planchet. Nunca recuerdo que esta es una ciudad llena de alegrías, de humo y de gorriones libres que hacen algarabía y lo cagan todo, como los días de caravana, los invitados de mamá llegan con sus histerias e historias, fuman, lo llenan todo de humo, se meten en cualquier lugar de la casa y también lo cagan todo; mamá solo se divierte y lee el poema como si fuera de un poeta muerto, dice que debió haberlo escrito ella, censura el ego del escriba, creo que lo envidia, adopta su pose, su voz, su punto de vista, es dueña de su duda, rodea su personalidad con palabras ajenas, es cómplice, crítica. Aprueba y disfruta, niega. Seguro se desviste y toca a los hombres, los acaricia, los alaba, los humilla, los clasifica mientras lee a Planchet, ellos la siguen, la aplauden, deben hacer un círculo a su alrededor, la acosan, y ella solo ríe, es feliz. Los odio, no me adapto a compartir a mi mamá con ellos, ni mi cuarto. También escucho los pasos de alguien acercándose a mi cuarto que debe ser Javier, lo espero decidido, escucho la voz de Camila más fuerte, segura. Se entona: *Me gusta estar al lado del Camino, despedir trenes que pasan velozmente y no esperan,* lee como un lector virtual, hay silencios espaciados, solo escucho la música, *a veces miro donde las cosas son indiferentes, este cuerpo acostumbrado a las nostalgias, inmóvil, retóricamente impúdico se aferra a negar la avalancha,* hace énfasis en los momentos poéticos de más alcance encantando a los oyentes, *el rostro se cubre con máscaras verdes, los árboles son inútiles para el viajero más allá de la lujuria, miro de reojo, las voces me llaman, los pasos son una delicia, susurran los cantos que pronostican humedades, me erecto evidente aunque me niegue la mujer de Lot.* Reinterpreta, caricaturiza al poeta como un lector enamorado de la obra ajena. *Un ángel caído cuidaba los orgasmos, ahora me observa entonando la canción de los guerreros, se escuchan gritos, gemidos, el polvo es tenue, se acerca la caravana, la espera es ríspida sin miedo a la noche fría ni a la exaltación de una sonrisa mojigata.* Camila se convierte en el mejor crítico de Maurice Planchet, espontáneo, brillante, es imposible ser indiferente a su declamación, a su defensa del poeta. *Es bueno gritar desde la sombra, romper el silencio con la voz que heredo y dejar el cuerpo desnudo a la intemperie, tu cuerpo también es ajeno a las pieles que invitan, sonríen, me dejo engañar, sigue ajeno, pero no soy el de antes, me escondo detrás del coro, en la última fila de los eunucos;* se deja absolver por la pasión que la hace arengar, gritar, los oyentes aplauden, gritan, chocan las copas cómplices de Planchet y de Camila que debe bailar, desnudarse, catar a los hombres que la rodean, ubicarlos según el tamaño de su cuerpo o de su pene como siempre ocurre en todas las caravanas; *la ilusión sortea los contornos, casi agua diluida en un deseo desesperado que se debate entre la quietud y el caos que presupone la partida.* El poema se funde con la voz de Camila, con la música y con las voces de hombres y mujeres que también aplauden, cantan y beben. *Me he comido pétalo a pétalo cada flor que viene de tus manos, leve y otra vez leve sin oportunidad para cronos; la hojarasca, el bullicio, siguen ahí, no reparo en guiños y ademanes, como reptar en el suelo agreste, soez, gentil de esta urbe que me traga.* La voz de Camila se torna diferente, vibrante, insidiosa, lasciva. *Una imagen tristísima se viene con una aureola kafkiana de lo que pudo haber sido la caravana de los desnudos, orgía premeditada sin límites posibles, eyaculación al vacío. Levito en éxtasis perpetuo buscando un ángel caído, oyendo las otredades del tiempo, ahuyentando las memorias, allí, justo donde cambian las cosas.* No era el sentido de las frases lo que mamá utilizaba ni pretendía utilizar, en definitiva eran las palabras del poeta que las hacía suyas, lo que una vez fue circunstancial ahora era imprescindible, el sentido le importaba poco, las usaba como un arma, como un proyectil destinado a una víctima. La víctima era Javier que se acercaba a mi cuarto, mientras mamá leía yo esperaba que él tocara a mi puerta y llamara, borracho, desnudo, que empujara la puerta, me golpeara, me tirara a la cama, y me penetrara varias veces, después solo le quedaba terminar en mi bañadera. Escucho sus pasos cada vez más cercanos...

Nació en La Habana en 1976. Narradora y traductora, ha obtenido, entre otros, el Premio José Antonio Echevarría en 2003, el Premio Alfredo Torroella, el Premio Nacional de Cuento Ernest Hemingway en 2006, el Tercer Premio del Concurso Casa de Teatro de República Dominicana en 2008,

Yusimí Rodríguez

una mención en el Concurso Juan David en 2006 y 2007 y una mención en el Concurso Hermanos Loynaz en 2013. Fue finalista del Premio de Cuento de La Gaceta de Cuba en los años 2007 y 2008. Fue reconocida con el Premio Oriente en 2014. En 2015, publicará su primer libro de cuentos.

Devastation

Estaba claro que no éramos amantes. Se trataba de pasar tiempo juntas en Trinidad. Tres días. Ella tendría que regresar para hacer un examen de Fisiología; un día para estudiar antes de la prueba sería suficiente. Había pagado el taxi desde La Habana y enseguida apareció una habitación con baño, aire acondicionado, ventilador, sofá, televisor. Una sola cama. Según la dueña teníamos suerte porque eran meses de poco turismo y el precio del alquiler bajaba. Había poco turismo por el calor y porque era temporada ciclónica. Pero ningún ciclón había azotado al país hasta el momento. Ni un solo aguacero fuerte, la sequía duraba ya casi diez meses.

Maya vivía en Chicago. Sus padres llegaron de Filipinas dos años antes de que naciera. En Chicago nevaba, pero no había ciclones ni tormentas tropicales. En Filipinas hubo una justo cuando ella regresaba de visitar allí a los abuelos maternos. En África había visto una tormenta de arena. En Cuba apenas había visto llover en más de un año. La mujer dijo que fuese paciente; estábamos en septiembre y la temporada ciclónica terminaría en noviembre.

Habíamos empezado a salir juntas diecisiete días antes. Nos encontramos en la esquina de G y 23, a la entrada del café donde Maya me había visto por primera vez. Me gustó tu calma, dijo, en aquella mesa llena de gente que gritaba para llamar al camarero, tú leías sin enterarte de nada.

Ella aún no había leído más de la mitad de un libro en sus veintitrés años de vida. Diez menos que yo. Debíamos decidir qué rumbo tomar: calle 23 arriba o calle 23 abajo para encontrar las mismas cosas: un par de cines, una enorme heladería en franca decadencia, unas cuantas cafeterías aspirantes a convertirse en la versión nacional del Domino's Pizza o McDonalds. Yo esperaba a que Maya decidiera.

En el cine La Rampa hay una película de Nicole Kidman, dije. No era *Los otros* ni *Las horas*. Ella no había visto ninguna de las dos. Oyó que alguna había ganado un Oscar un par de años atrás. Le dije que Nicole Kidman había ganado el Oscar por su actuación en *Las horas* aunque lo merecía desde *Los otros*, un año antes. Tampoco me gusta mucho el cine de Hollywood, dije, prefiero el asiático, las de Wong Kar Wai, ¿viste *In the mood for love, Happy Together, 2046*? No. Pero le gustaba que le recomendara películas, me pidió una lista con todo lo que tenía que ver. Cine europeo, dije. *Antonia*, de una directora holandesa. La habían traído durante el Festival de Cine Latinoamericano de 1996 y se hablaba de ella en todas las colas de cine. Muchas señoras se quejaban de que había una escena entre dos muchachas desnudas, una falta de respeto. Perseguí la película durante una semana. El día que la exhibían tenía un examen en la universidad, era el tercer año de mi carrera y también el último día del festival. Al día siguiente la película regresaría a Holanda.

Fue el año en que me fracturé la tibia jugando *basketball* con las Dolphins de Chicago, dijo Maya. Podría seguir haciendo su vida normal: correr, montar bicicleta y hasta seguir jugando básquet en el barrio de vez en cuando. Nunca más en la *Amateur Basketball Association*. Para eso tendría que someterse a una operación y pasar meses en cama. Su sueño había sido jugar en las Olimpiadas de 2000. Vi esas Olimpiadas, dije, el torneo de baloncesto femenino lo ganó el equipo de Estados Unidos. Ella lo supo en Hawai, a donde había ido a aprender *surfing* con sus amigos. Sintió nostalgia, hubiera podido llegar. Si no te hubieras lesionado, dije, o si hubieras decidido operarte. Entonces se levantó la pata del pantalón muy orgullosa, tenía una cicatriz de diez centímetros a lo largo de su pierna musculosa y velluda, creo que heredé la obsesión filipina por jugar baloncesto aunque somos pequeños. Con sus 1,63 metros de estatura no pudo jugar en las nacionales. Así es que mientras tú veías tu película en el cine, yo me moría de aburrimiento en una cama para poder jugar *basketball* en la ABA, dijo. Pero no vi *Antonia* ese año, no me atreví a faltar al examen. Dos años después la pasaron en televisión. Sin la escena de las dos muchachas. Y luego volvió a exhibirse en el cine, en el año 2000. La escena de las muchachas no duraba treinta segundos.

Llegamos por fin frente al cine La Rampa. *Cold mountain*, con Nicole Kidman y Jude Law. Podemos entrar, dijo Maya, otro día. Y terminamos sentadas en el muro del Malecón compartiendo un helado de chocolate Nestlé; ella pagó el dólar con veinticinco centavos.

Olvidaba recomendarte otra película: *Aiméey Jaguar*. La vi, dijo. Era su tercer año en la universidad y estaba sola en el cuarto de la beca. Al final de la película se masturbó y al día siguiente rompió con su último novio. Fue una escena triste. Dos meses después volvió a verla en el mismo cuarto, en brazos de su primera novia. Solo vieron la mitad de la película. Yo la había visto en el Festival de Cine de 2003. Había terminado de trabajar a las cuatro de la tarde y desde antes de las cinco había esperado afuera del cine. La película comenzó a las siete. Miraba con envidia a cada mujer que entraba con otra y a cualquier hombre que iba con su mujer; incluso a dos hombres que entraran juntos. No encontré una sola cara conocida a la salida y tuve que esperar que escampara. E irme sola. Nunca volví a ver la película.

La segunda noche de salir juntas también terminamos sentadas en el muro del Malecón. Intentaba contarme de su primer viaje a Alemania, pero cada dos minutos la interrumpía alguien que vendía maní, rositas de maíz, flores o música, y ella tenía que cortar el hilo de la conversación para decir no, gracias. Había llegado a Bayern para tocar el violín en una orquesta juvenil. Su madre había obligado a sus tres hijos a estudiar un instrumento musical. Mi preferido es el cello, dije, tengo grabado el Preludio de la Suite Número 3 de Johann Sebastian Bach, interpretado por Yo-Yo Ma, y tarareé el tema. Ese es el Preludio de la Suite Número 1, dijo. Repetí que era la Número 3, lo sabía de memoria: Bach escribió seis suites, a principios del siglo XX el español Pau Casals las sacó a la luz, se encerró durante años en una cabaña en el bosque para tocarlas, sus alumnos lo visitaban allí. Pero ese es el Preludio de la Número 1, insistió Maya. Es la 3. Entonces preguntó si yo podía tocar el cello. No. Caímos en un silencio incómodo. Apareció un viejo que solo tenía su miseria para vender y se paró frente a Maya con la mano abierta. Sus facciones asiáticas eran un anuncio de que era extranjera. Yo quedé exonerada de antemano, el viejo ni me miró. Maya lucía indefensa como si el hombre en vez de su mano arrugada, temblorosa y vacía, portara un cuchillo. Abrí el monedero para buscar una moneda de un peso, sabía que tenía una pero no la encontraba. Terminé asomando la punta de un billete de cinco pesos que el viejo agarró de un manotazo. Noté que empezaba a hacer frío; mientras zafaba el suéter que tenía amarrado en la cintura la voz de Maya me sorprendió, sabes qué me encantó la primera vez que te vi en el café de G, que no usas ajustadores, tus pezones son tan sensibles. Dejé el suéter en su lugar y seguí con la vista al viejo, que atacaba a más gente con su mano huesuda y endeble.

Tomamos helado en Coppelia al día siguiente. Pudo haber sido un gran día si hubiésemos comido helado con galletitas en una cafetería de las que ella podía pagar. Pero quería invitar, y solo podía invitarla a Coppelia, donde el helado se vendía en la moneda con la que el Estado me pagaba. Había chocolate, vainilla y naranja-piña. Y había un montón de vendedoras de bizcochos, sorbetos y galletas dulces de vainilla y chocolate, que en nada se parecen a las que se venden en divisa, pero son baratas. Maya se detuvo ante una vendedora de galletas de vainilla. Son las preferidas de Carol, dijo. Quién es. No pensé antes de preguntar y ya era tarde. El amor de mi vida, la dejé en los Estados Unidos para venir a estudiar Medicina en Cuba; viajó a través de México el año pasado para verme y le encantaron estas galletas; al final decidió que no podía soportar una relación a distancia y terminó conmigo.

La fila no avanzó en más de veinte minutos y parecía inminente que nos saldrían raíces allí, pero vi a una amiga de la universidad comprando galletas, la saludé. Estaba marcada en la cola, dijo, a punto de entrar, podíamos ir con ella. Maya no se movió. No me gusta colarme. No estábamos colándonos en realidad, mi amiga había hecho la cola y podíamos pasar con ella. Y los otros esperarán veinte o treinta minutos más, dijo; Carol y ella habían esperado casi tres horas en una parada de guaguas para regresar de la playa, porque los cubanos no hacíamos cola. Dije que no era el fin del mundo, éramos dos personas, no diez. Pero se quedó mirando a las vendedoras mientras yo caminaba hacia mi amiga que me hacía señas para que nos apuráramos.

Dos horas estuvimos recostadas a la reja, con las matas arañándonos la espalda. Sudando. Veíamos las caras de las vendedoras todo el tiempo. Los niños preguntaban a las madres cuándo entrarían. Cuando entramos se había terminado el chocolate y la vainilla. Había hecho una cola de dos horas para tomar helado de naranja-piña. Tampoco había dulces ni galletas. Maya se sentó y salí a comprar sorbetos o bizcochos, o galletas de las que le gustaban a Carol. En algún lugar de San Francisco, donde podría comprar galletas de cualquier marca, de cualquier sabor, rellenas con crema de chocolate, de avellanas, de todo lo que no podía imaginarme, Carol prefería nuestras galletas dulces para cubanos. Regresé con bizcochos y comimos en silencio hasta que dijo que le encantaba el helado de naranja-piña. Nunca lo había probado porque siempre estaba el chocolate disponible. Sería su favorito a partir de ahora. Y los bizcochos estaban deliciosos. Levanté la vista para ver su cara. Sonreía como un sol. O como un arcoíris; el arcoíris es lo que ocurre cuando escampa y el sol sale, y Maya tenía los ojos llenos de lágrimas.

No había conocido aún a una cubana que pudiera hablar de cine, ballet, deporte, literatura y música clásica. No volvimos a tocar el tema de la pieza de Bach, no tenía que demostrarle que estaba equivocada. Lo importante era que Bach había compuesto seis suites y que Pau Casals las había descubierto a principios del siglo XX, y se había encerrado en una cabaña para tocarlas. Maya no lo sabía a pesar de haber estudiado violín. Les hablaba de mí a sus compañeras de cuarto. Le encantaba sobre todo mi forma de escucharla, de sentir el silencio sin tratar de llenarlo. Era entonces como estar sola, decía, y poder pensar en voz alta, de Carol. En Carol, debió decir. Nunca la corregía cuando hablaba de Carol, con la cabeza en mi hombro y un seno contra mi brazo. Entonces levantaba la vista y decía que yo era «un» proporción, debiste ser modelo, pareces una africana de las que llevan a Europa y las ponen en una pasarela entre «todos esos» mujeres pálidas. O que yo tenía un olor y que después podía pensar ese olor cuando estaba sola. Me sonaban bien sus frases aunque debía corregirle los artículos, el uso de los géneros. Lo olvidaba siempre. En algún momento ella decía Carol también tiene un olor. O se ponía de pie, vamos a bailar, a cruzar la bahía, a comer pizza. Era maravilloso tener una amiga con la que se podía hablar todo, hacer «cualquiera» a toda hora, decía. Eso éramos: buenas amigas que viajaban a Trinidad a pasar tiempo juntas.

Maya y la señora hablaban de plantas y parecían tener para rato. Tomé una almohada y la dejé caer en el sofá. Ahí dormiría yo. Las dos me miraron. ¿Por casualidad tiene otra colcha para taparme?

Siempre hay un instante que puede cambiar todo, un segundo. Para Maya había sido el momento en que leyó el artículo donde hablaban de la posibilidad que daría nuestro gobierno a jóvenes norteamericanos pobres de estudiar Medicina gratis en Cuba. Lo leyó sentada en las piernas de Carol, después de haber desayunado juntas y hablar de irse a Canadá o a Holanda, para casarse y adoptar un niño. De pronto, estaba sentada en un parque de Trinidad, bajo el sol de las dos de la tarde, con hambre, sed, rabia. La dueña de la casa había descubierto que yo era cubana en cuanto abrí la boca. Pero si no hubiese preguntado por la colcha habría pasado frío en la noche, sola en el sofá. Tal vez Maya me habría invitado a compartir la cama y la colcha. Nunca sabría qué rumbo habría tomado aquella historia.

Maya hablaba como si estuviera sola. Ahora solo falta que comience mi menstruación, dijo. Su mochila me arrinconaba en el otro extremo del banco, pero no dije nada. La dueña de la casa había dicho que si yo era cubana no podía alquilarnos la habitación. A dos extranjeras sí, o a dos extranjeros. No era una cuestión de sexo, sino de nacionalidad. Yo podía haber sido jamaicana, africana, francesa incluso, hasta que hablé. En todas las casas particulares nos dijeron lo mismo. El hotel en moneda nacional para cubanos estaba cerrado. Lo peor era que yo no sudaba ni me dolían los pies. Se me ocurrió que Maya podía dormir en la casa particular y yo en la terminal, justo cuando se lo dije bajó la vista hasta su vientre y sonrió. Menstruación, dijo. No le faltaba nada y solo quería irse en la primera cosa que partiera hacia La Habana. En eso quedaba el viaje a Trinidad: ir a comer un par de pizzas de las que yo podía pagar, acompañarlas con un par de jugos Tropical Island que ella compró, y caminar por la ciudad antes de irnos a la terminal. Vimos el Museo Romántico por fuera. Maya lo fotografió; también los coches de caballos. Me pidió que le tomara una foto con una señora que fumaba tabaco y estaba llena de collares, y después con un niño. No había fotos de nosotras juntas, o de mí.

Tres veces tuvimos que golpear la ventanilla para que nos escuchara el chofer, tenía la radio puesta y todos los cristales subidos. Bajó uno, le quitó volumen a la radio. De todas formas pudimos escuchar que se había formado un huracán y avanzaba hacia Cuba. Lloverá con ganas, dijo el chofer. Maya le preguntó si iba para La Habana. Dos minutos después metían su equipaje en el maletero mientras yo esperaba que abriese la puerta trasera. Hacen bien, nos dijo. Debíamos parecer recién llegadas, porque un hombre se acercó con sigilo y preguntó si buscábamos habitación. Ella es cubana, dijo Maya con cansancio. No importa, le dio un papelito con una dirección escrita a mano y salió caminando rápido. En la radio seguían hablando del huracán, y el chofer nos dijo aprovechen ahora y partan, esto se puede poner malo.

Maya no lo pensó dos veces. Ni necesitó ayuda para volver a sacar su maletín.

No había otro lugar donde sentarse, ni siquiera el piso. Podía decirse que la cama era la habitación. Los centímetros que la separaban de la pared por un lado estaban ocupados por el ventilador; en el otro no había espacio ni para una puerta que cerrara el baño. Después de contemplar el ventilador, la ventana cerrada para que no entraran los mosquitos, la mesita de noche, la taza del baño que quedaba justo frente a nosotras y las huellas de goteras en el techo, solo quedaba mirarnos a la cara. Serían poco más de las cuatro y había tiempo para decirle al dueño si comeríamos o no en la casa, bañarnos por separado, y luego pasear por Trinidad. Habíamos ido a conocer Trinidad y ahí estábamos, con todo el tiempo del mundo por delante. Y como la cosa más natural del mundo Maya me agarró por la nuca y caí encima de ella, entre sus piernas, mi pelvis contra la suya; aunque después dijera que fui yo quien la montó y la besó en la boca. El dueño de la casa tocó la puerta para decirnos que tendríamos que comer en la casa. Le preguntó a Maya si prefería carne de puerco o pescado. Había empezado a llover.

Hacía solo quince minutos que habíamos comido como un par de trogloditas, pero parecía que llevábamos más de media hora sentadas cada una en una esquina de la cama hablando de cosas intrascendentes. Suspiró, crees que de verdad habrá un huracán. Pregunté si tenía miedo. No contestó. Recordé una postura que según alguien facilitaba la digestión: debíamos sentarnos sobre las piernas con las nalgas entre los talones. Permanecimos así varios minutos, en silencio, concentradas en la posición con los ojos cerrados, abriéndolos cada vez que el viento arreciaba o llovía más fuerte. Volvió a mirar su reloj, no pasaba el tiempo. De todas formas me haló por el brazo hasta el centro de la cama. Me montó ella esta vez. Nos restregamos. Sudamos como en una sauna. Jadeamos. Ella se dejó caer boca arriba junto a mí. Me acomodé entre sus muslos, nos frotamos más y rodamos por toda la cama. Ella encima de mí, yo sobre ella otra vez. Dejé que me colocara boca abajo, que me montara, pero se rindió pronto. Qué pasa, pregunté.

Es que tienes que, necesito que... No sabía decirlo en español. Dímelo en inglés. En ese momento sonó un trueno y ella se apretó contra mí, me besó en la boca. Dímelo en inglés. Volvió a acostarse junto a mí, menstruación es tan incómodo, dijo, me recuerda que estoy viva y soy mujer, puedo crear vida, pero es tan incómodo. Sonreí pensando que siempre se comía los artículos de las palabras, tendría que decirle también que la menstruación no era incómodo, sino incómoda. Pero no ahora, me dije. Tomó mi mano y la puso entre sus senos. La llevó hasta sus muslos. Bajé la cabeza hasta su vientre, intenté quitarle el blúmer. Me recordó la menstruación. No me importaba, para eso habíamos ido a Trinidad. Por lo menos deja lavarme, dijo. Tropezó con el ventilador para llegar al baño. Oí el agua correr y el jarro cayó al suelo, seguro había armado un charco de agua. Se quedó parada en la puerta del baño cuando terminó. Dónde estás. No se atrevió a moverse y tuve que estirar la mano para encontrarla en aquel medio metro cuadrado de oscuridad. Logré halarla y cayó sobre mí en la cama. Algo chocó contra la ventana y nos abrazamos. Me demoré acariciándola por debajo del pulóver, besando sus axilas velludas antes de bajar hasta su vientre y olerla por encima del blúmer.

El espasmo violento me avisó de que había llegado. No hubo gritos, gemidos, nada. Solo aquel espasmo. Y luego otro mientras apretaba mi cabeza entre sus muslos. Y otro más. Subí por su cuerpo y nos quedamos abrazadas. Entonces lloró. Piensas en Carol. No pude contener la pregunta y no quería que respondiera. Se quedó callada, deseé que no me hubiera oído aunque sabía que lo había hecho. El viento continuaba arrasando afuera, oíamos cosas chocar contra el techo y la ventana. La besé con su sabor todavía en mi boca. No pensé en Carol, dijo. Pero lloró. ¿Sabes que fue ella quien me dio el periódico con el anuncio de becas para estudiar Medicina gratis en Cuba?

Amaneció en calma. Chamizo, el dueño de la casa, no estaba, y también decidimos salir. Tuvimos que caminar con cuidado para no pincharnos con las ramas que tapaban el suelo. Me arañé de todas formas. Un árbol había sido arrancado de raíz y un par de casas estaban sin techo. La gente estaba agrupada frente a una que había perdido la pared. Ayudaban a sacar cosas. Los colchones no iban a servir, ni el refrigerador, posiblemente. El tubo de pantalla del televisor estaba roto. Alguien dijo que no habían terminado de pagarlo aún. Un hombre ayudaba al dueño con un sofá, era Chamizo. No parecía sorprendido de vernos, señaló un amasijo de ladrillos y madera un par de cuadras más adelante, en la acera opuesta. Los de aquella casa están peor, dijo, por suerte a última hora decidieron dejarse llevar para el refugio. Había un niño saltando en los charcos, la madre casi nos gritó en el oído para regañarlo, pero no se dio por enterado. En ese momento salió la dueña de la casa con una radio, creo que al menos esto se salvó, pero hay que esperar a que pongan la corriente para probarla. Chamizo tenía pilas.

Nos enteramos de todas las afectaciones en las provincias, recomendaban que los evacuados no regresaran a sus casas por la posibilidad de derrumbes. La Habana había sido la provincia menos dañada, pero no decían cuándo volvería todo a la normalidad. En la misma emisora empezó a escucharse una canción de los Van Van. No habían dicho nada sobre cuándo se normalizaría la situación en las provincias afectadas. Chamizo buscó otra emisora y entonces escuché las notas del Preludio de la Suite Número 3 de Bach y detuve la mano de Chamizo antes de que siguiera girando el botón. Un momentito nada más, dije. Me miró como si estuviera loca, la gente se quedó azorada y de pronto solo se escuchó el cello. La mujer que nos había gritado en el oído se olvidó del hijo para mirarme como si viniera de Marte. Incluso Maya me miraba como si estuviese fuera mis cabales, pero nadie hablaba, solo se escuchaba el cello. Sin inmutarnos, vimos otra teja caer del techo, aún podrían derrumbarse algunas casas cuando el sol saliera y calentara. Hasta pareció que el cielo empezaba a despejarse y se asomaba el sol. El niño seguía saltando y llenándose de mugre sin que la madre dijera nada. La música terminó y Chamizo dijo está lindo eso. Nadie más habló. Entonces se oyó la voz de la locutora, acaban ustedes de escuchar el Preludio de la Suite Número 1 de Johann Sebastian Bach. Era la Número 1. Maya me miró. Alguien le dijo a Chamizo quita esa mierda y acaba de buscar una emisora que diga algo de verdad, pero volví a aguantarle la mano y al carajo lo que pensara la gente. Ahora tenían que contar la historia de las seis suites y de Pau Casals, eso no lo sabía todo el mundo. Un hombre vino a quitarle la radio a Chamizo y él lo empujó, recuerda que las pilas son mías. Empezó a sonar otra melodía, una de Brahms. No volvieron a hablar de la suite de Bach. Me senté en el suelo y vi que Maya le hacía preguntas a la dueña de la casa. El niño seguía saltando en los charcos y la madre fue a meterle un manotazo.

El huracán aún podía regresar. No lograríamos salir para La Habana antes de tres días. Maya no llegaría a tiempo para su examen. Quién tuvo la idea de venir aquí, preguntó mientras miraba las ramas en los charcos y buscaba por dónde saltar sin mojarse. No había otra cosa que hacer, solo caminar por la ciudad y ver los destrozos, la gente que intentaba salvar algo. No se hablaba de nada más. La gente nos miraba sin asombro. Siempre había algún extranjero tomando fotos, preguntando las mismas cosas. Maya se quedó sin preguntas. Yo no encontraba qué decir. Chamizo seguía cocinando dos veces al día lo que a Maya le gustaba. Me sentaba a comer sin hablar. En algún momento restablecieron la electricidad. La Habana había regresado a la normalidad y nosotras aún debíamos esperar que se arreglaran las afectaciones en la carretera.

El día que la carretera estuvo despejada Maya le pagó a Chamizo y corrimos a la terminal. Vio un carro vacío, agarró al chofer por el brazo. Queremos Habana, dijo, llega Habana, por favor. El chofer no reaccionaba. Entonces le dije a Maya si hablas como un indio no te puede entender; se dice queremos ir a La Habana; usted llega a La Habana, por favor, así se habla el español. Fue como si la hubiese noqueado, pero se recuperó enseguida. Me dijo, en inglés, que si sacaba un par de billetes de veinte dólares y los ponía en la cara del chofer, él entendería sin necesidad de que ella hablara español. Si tuvieras tanto dinero te habrías pagado la carrera de Medicina en tu país, respondí, también en inglés. El chofer no entendía, pero se dirigió a Maya, si la señorita quiere viajar a La Habana son veinte dólares, *twenty dollars.* Cargó su maletín hasta el maletero y ella se sentó delante; bajó el cristal y me miró de reojo, qué vas a hacer. Podía apuntarme en la lista de espera y dormir en la terminal de ómnibus dos o tres días hasta que pudiera comprar el pasaje. Era lo normal para cualquier cubano en este país. Si me hubiera quedado dinero suficiente. Abrí la puerta trasera del carro.

Nos despedimos sin besos en la terminal de La Habana. Llevábamos rumbos diferentes. Ella cogería otro taxi, yo intentaría montarme en una guagua, en una parada repleta de gente.

No supe si logró hacer el examen, si lo aprobó.

La vi una vez, de lejos, desde la guagua. Llevaba el uniforme de estudiante de Medicina y caminaba por la Avenida 23. La acompañaba una muchacha, creo que era cubana.

Nació en La Habana en 1985. Actor y escritor, estudió artes escénicas en la Escuela Nacional de Arte de La Habana. Fue miembro del consejo editorial de la revista juvenil *La Edad de Oro en nosotros,* publicación trimestral que pretendía dar continuidad a la revista *La Edad de Oro* que fundara José Martí en 1889. Ha trabajado en teatro, cine y televisión. Ha publicado

ulián Martínez Gómez

Erótica de los nohombres, con prólogo de María Castrejón e ilustraciones de Alexis Álvarez Armas, y *Conga triste de La Habana* junto a la obra gráfica de David Redondo Bomati y los prólogos de Norge Espinosa y María Castrejón. Sus poemas y narraciones han aparecido en diversas publicaciones españolas y extranjeras.

Hay un susto en las cosas

No sé por qué se ha hecho desde hace tantos días
este extraño silencio
Dulce María Loynaz

Seis de la mañana. Todo ocurre en unos minutos. Mi padre está muerto en el suelo. Abel y yo nos abrazamos cerca del cadáver, llenos de sangre. Tenemos las pupilas dilatadas y los ojos cerrados. «Se acabó. Vamos a enterrarlo antes de que se pudra. En el patio de la casa, al lado del naranjo». Ya no importa si florece o no el azahar o si se ponen agrias las naranjas. Recogemos lo justo y cerramos bien la casa. Salimos rápido y con poco equipaje, casi nada. En la madrugada más oscura de la primavera, somos dos muchachos hermosos que acabamos de matar. Vamos de la mano por la acera, no hacemos nada malo. Cogemos la guagua en la estación de Marianao, rumbo a Pinar del Río. Allí Abel tiene una casa que ha heredado de su abuela, en medio del campo. No hablamos en todo el camino. Nos miramos, nos besamos de vez en cuando y lloramos un llanto torcido. Es un alivio mirar el paisaje por la ventanilla. Empieza a oler a tierra, a lluvia, a verde. Las nubes están bajas, más cerca de las lomas que del cielo, como nosotros, ausentes. El conductor detiene el viaje unos segundos junto a una pancarta donde se lee: «¡Patria o muerte! ¡Venceremos!». Siento frío.

Llegamos a la casa por un trillo de barro, romerillo y piedras. Entramos. El salón está lleno de telarañas, amueblado con una mecedora, un sofá de mimbre, una mesa de madera con cuatro sillas y un búcaro con flores secas. La cocina queda dentro del salón: dos ollas llenas de tizne y pozuelos. En un rincón hay un pequeño altar con restos de cera, seis vasos de cristal vacíos, una imagen de la Caridad del Cobre y la foto de una mulata. Su abuela de joven, pienso. En silencio, cada uno por su lado, comenzamos a reconocerlo todo. Tocamos las paredes, luego el suelo, el ciruelo del jardín que plantó su tatarabuelo negro... Abel saca una botella de ron de la maleta para celebrar la huida, lo nuevo, la casa... Nos servimos un poco en dos vasos plásticos, brindamos y nos bebemos todo de un trago, también la culpa.

Son las doce de la noche. Llueve. En el cielo más claro de la primavera, somos dos jóvenes inocentes sobre una cama. Cruje la tierra, el vidrio, las vigas, el portal, la columna, la bombilla, la yerba, el cocuyo, la ciruela caída... Y nosotros, a salvo, detenidos en el movimiento del otro... su lengua, en mi ombligo, me hace reír a la fuerza, el alcohol nos dilata. Con mis dientes muerdo su pezón blando. Encima de nosotros, en la pared, rígido, un cristo de madera. Juntamos las piernas, los miedos, las ausencias. Nos quitamos la ropa y el horror a lametazos. Sucios. Somos un animal de dos cabezas, dos glandes, dos lenguas, cuatro tímpanos, cuatro cuerdas vocales, mil trescientos músculos, cuatrocientos doce huesos, ciento ochenta mil kilómetros de venas, dieciséis mil millones de células nerviosas que oscilan en medio de la nada. Nos venimos uno encima del otro. Nos quedamos dormidos, muy cerca. Tengo un sueño inconfesable.

Son las once de la mañana. La luz me hace daño en los ojos, en el monte rompe el día más violento. Abel no está a mi lado y no sé por qué siento este extraño silencio. Estamos sin decir palabra desde ayer, pero hoy es diferente, hay un susto en las cosas. El pánico me deja fijo unos minutos. Al fin, logro levantarme. Tengo la boca seca. Camino muy despacio, lo busco en el salón. La botella de ron está acostada en el suelo mecida por la corriente de aire que viene de la entrada de la casa. La puerta está abierta, lo sé. Estoy temblando y no quiero mirar al jardín. ¡Valor! ¡Vamos, vuélvete! Me giro hacia el árbol. Se me nubla la vista. No veo nada.

Son las cinco de la tarde. Abel cuelga del ciruelo, tiene la cara negra y las manos frías. Libero al árbol del peso de su cuerpo. Lo entierro junto al retrato de su abuela, entro en la casa y me siento en una silla de cara a la ventana, mirando al campo. Soy parte de la nada. No sé cuánto tiempo estoy sin moverme. Llega la noche y sigo detenido en la rabia. Amanezco en el mismo lugar, los ojos rojos, quietos en el horizonte. En mi cabeza está el recuerdo de aquella madrugada: Abel y yo desnudos en el suelo. Mi padre entra en la casa. Cuando saca el cuchillo y se nos viene encima lo sé de pronto: vienen días mudos.

Nació en La Habana en 1983. En 2005, recibió el Premio Nacional de Cuento Ernest Hemingway por *Foto fija*. En 2008, fue finalista del Concurso Internacional de Minicuentos El Dinosaurio por *Degollados*, publicado en la antología de premiados *Gallina y otros minicuentos*. En 2013, fue finalista del Primer

Michel García Cruz

Concurso de Minicuentos de La Pereza Ediciones por *Crema para arrugas*, publicado en la antología de premiados *Diez por ciento y más*. Obtuvo una mención en el Premio de Poesía de La Pereza Ediciones por el poema *La même vie de l'hypertexte*, publicado en la antología de ganadores *Otro canto* (2013).

Por qué las hojas muertas

No eras ese muchacho que entraba a todas horas y se aparecía en todos los sueños, no te habías leído un libro en tu vida ni sabías quién era Von Aschenbach ni su criatura del mundo el hipotético Tadzio, tú podías ser un hipotético Tadzio aunque no te dieras cuenta, en el hotel nadie se daba cuenta de nada mientras tú salías y entrabas, no haber leído nada nunca, ni en esta lengua ni en ninguna otra, no haber tenido la percepción a los escasos seis años de que serías escritor, de que tu vida iba a estar traspasada por lo que luego, años más tarde, muchos han dado en llamar «una manera de estar» para este estado, una conciencia de ser y de inspeccionar los amaneceres, saber por qué la gente sonríe, por qué lloran los pájaros o ladran los perros, una condición más allá de la biología de los sueños, los agarres de los barcos, la fugacidad de las nubes, el color irreal de la niebla sobre el mar, el porqué de una determinada velocidad del viento, la razón o el contratiempo o quién sabe cuántas cosas sobre la posibilidad remota de bajar una escalera, por qué irse a dormir a una determinada hora, saber la procedencia de los gritos que se oyen en casi cualquier hotel a cualquier hora y a través de las paredes, por qué lloraba mi madre en la soledad de sus mañanas, por qué me dormía sobre los bultos de ropa que ella tenía para lavar y parecía un mendigo, por qué no fui un niño mendigo y sí uno que iba temprano a la escuela todos los días, por qué el llanto de mi abuela mientras nos vestía para que no llegáramos tarde, por qué el sube y baja en el estómago cada vez que me subía a la montaña rusa en el parque de diversiones donde trabajaba mi madre y me dejaban entrar sin pagar, por qué el sentimiento irrevocable de los amaneceres, de saber de dónde venían, por qué la timidez que luego se vencía a la hora de hablar en las escuelas, por qué el desafío de las letras y las lecturas con mi maestra Belén en el primer curso de primaria, por qué los daños colaterales de cierta revisitada convicción, por qué el querer saber de dónde vienen y a dónde van todas las angustias y las alegrías de la gente por las calles y en los trenes y en invierno, por qué adorar el invierno, por qué vestirse de cierta manera, por qué querer leer cuando los demás estaban jugando, vas a perder tu juventud entre libros, decía mi padre, por qué los otros nunca comprendieron que yo leyera y que ellos jugaran, por qué querer averiguar la fatalidad o la desdicha o simplemente la enarbolación coherente y eterna de esa convicción muy prontamente arraigada, por qué el deseo de ser como una raíz anclada en la tierra o el mar, por qué el deseo de estar así, de asumir la desolación como el componente normal de las vidas de todos, de mi familia y de la mía, por qué los aspavientos cuando no pasaba nada raro, por qué querer analizar el alma de las cosas inanimadas y naturales, como las plantas, mientras todos se divertían, por qué estudiaste Derecho mientras todos se ahogaban en los rones de la primera juventud, por qué dejar la carrera porque en realidad a ti lo que te gustaba era leer, leer interminablemente y traducir los sonidos de la oscuridad de las ciudades y de la noche, por qué ese tono de voz en los camareros de cualquier ciudad, por qué su pesadez innata, por qué los sueños que luego no se materializaban en la realidad, por qué esa falta de concordancia real entre los dos entes, por qué esos dos tiempos para siempre separados, por qué ese despertar, por qué esa rara manera de mirar, caminar y hablar y gesticular de la gente, por qué ese gesto impreciso de esa señora que se te sienta delante en el metro y a la que no conoces de nada, por qué querer imaginar su vida, encontrar la tristeza y la alegría que envuelve su abrigo de visón o su bolsa de supermercado o su móvil apagado, la desolación de su marido y la exasperación de sus hijos porque la madre no llega, su soledad compartida con un pedazo de pan por no haber tenido nietos, porque sus hijos murieron por casualidad en una guerra lejana en la que hacían turismo, una manzana muerta, por qué esa afición a querer establecer una entropía con gente a la que casi no conoces incluso sin hablarle, por qué querer fotografiarlos y exponer sus caras en una galería para principiantes, por qué esa convicción de que si los extraños hablan se puede romper todo el hechizo, por qué el tintineo de las copas y los cubiertos en los restaurantes del mundo, por qué esa manía de ir siempre en las ventanas de los trenes y los aviones, por qué esa rara afición de admirar el brillo del suelo en hospitales y aeropuertos, por qué leer siempre todos los carteles y contar los pasos, por qué medirlos, por qué las mismas ganas siempre de abrir las puertas cerradas y de entrar sin permiso en oficinas vacías o atestadas de ejecutivos redundantes, por qué siempre sus negativas burócratas, por qué ese instinto de dar monedas a los mendigos de turno en la puerta del supermercado aunque no crea en sus historias, por qué no creérmelas, por qué no creí nunca en los cuentos infantiles, por qué haber escuchado tantas historias y luego haber querido repetirlas, por qué no haber temido nunca la oscuridad de mi cama, por qué no querer realmente tener hermanos y provenir de una familia corta, por qué no tomar más de un café al día, por qué no comer pescado ni ensaladas dentro de casa pero sí en restaurantes extranjeros, por qué dormir en camas anónimas en hoteles extraños, por qué querer descifrar el color de las paredes y las pintadas en las puertas de los váteres, los grafitis del mundo, por qué en los trenes abandonados y las paradas de autobuses, por qué no pedir que retiren esa sopa por estar demasiado fría, por qué volar siempre o conducir o subirme a un tren completamente convencido de que va a pasar algo, por qué no confiar en la inocencia innata de los niños, en sus juegos infantiles, por qué la fascinación antinatural por ascensores y escaleras mecánicas y gafas oscuras, por qué los telones en los teatros, las butacas siempre rojas o azules de los cines, por qué ese silencio de extraños, por qué compartir esas horas con gente que no conoces y reír o llorar a su lado en la película de turno, por qué esa fascinación real de que no te conozca nadie, de ir de incógnito, por qué la terrible convicción a los siete años cuando viste tu primera obra de teatro de que los actores vivían allí mismo, encima del escenario y que no tenían casas ni vidas verdaderas, por qué la terrible desolación diez años más tarde cuando tú mismo fuiste actor y te diste cuenta de que los actores también comían y hacían el amor y hasta iban al baño y orinaban y gritaban y lo llenaban todo de una suciedad que estaba muy lejos del papel que habían representado en escena, por qué tenían una vida más allá de las puertas del teatro y cuando salían por ella no se volatilizaban en el tiempo ni dejaban de tener brazos ni piernas ni cabezas ni deseos y hambres que ir a cumplir, por qué haber sido actor buscando qué verdad, por qué no agarrarse siempre a la mentira de interpretar a otro que no eres y a la certeza de no poder hacerlo, por qué tener esa certeza, por qué saber después que lo mismo pasaba con la chica joven que conducía el telediario de tu ciudad, que salía y era violada o acariciada por un hombre en una calle oscura o por su marido de siempre, al que veía todos los días, por qué ese horror innato y callado a las mariposas de colores y la fascinación por las anacondas, por qué el deseo siempre inane de que te llegaran cartas de afuera, de un exterior que apenas conocías, por qué esa afición casi novelesca por el silencio de los otros, por el qué estarán pensando, qué pensarán hacer después, qué irán a decir ahora, por qué la rara coincidencia de las aves en el cielo, por qué no se caían de pretiles abovedados, por qué en mi país no había osos, por qué escribir incesantes novelas que enviar sin pudor alguno al mayor y mejor dotado concurso de tu país en aquel momento, por qué escribir la realidad en vez de pintarla o cantarla o bailarla como tantos otros, por qué abstraerte del mundo cuando el mundo se deshacía más allá de la ventanilla del autobús donde tú viajabas con un libro magnífica e irremediablemente abierto, por qué te fuiste de la mano del chico que te dijo algo del libro y que te convenció de que él ya se lo había leído, por qué la irremediable sensación de que no podía ser casualidad que fueras hijo único, el tranquilo desasosiego de que tu soledad te empujaba a esto, a querer escribir, a querer ser tú mismo a través de los libros que leías y los que podías intentar escribir, por qué querer perseguir un invierno que no llegó nunca en el país donde vivías y en la casa que estabas, por qué no había inviernos en tu país y en tu ciudad, por qué los azulejos del suelo evocaban precisamente aquellas escenas, por qué Lezama había muerto cuando naciste, y no existían ya Piñera, Arenas, y tantos otros estaban ya por desaparecer, por qué los descubriste tantos años después y celebraste su conocimiento muy lejos de donde habías nacido, por qué se entiende mejor la lejanía cuando estamos lejos y no cerca, por qué se llora por alguien que no está y que no logra despertarnos más allá de los sueños, por qué no desear jamás la aparición de un hermano, por qué tener esa seguridad convencida de que no haría ningún bien a tu estatus primigenio, por qué ser el primigenio y el único en algo, en nada, por qué pensar que aquello no era por gusto, que las cosas por alguna u otra razón habían tenido que ser de esa manera, por qué no nací en Finlandia o en Senegal, por qué no me estoy tomando un café en París, por qué haber viajado por el mundo solo, añorando cafés nocturnos o de atardecer donde no me conociera nadie, por qué los días solitarios y los otros niños que te odiaban porque tú sabías leer bien y antes que ellos, por qué ganar concursos de Matemáticas y Español, por qué saber antes que nadie qué era un museo y la fecha prehistórica y colonial en que habían sido colocados los adoquines de la Plaza de Armas en el centro de la ciudad vieja, por qué haber acudido a esos sitios antes que los otros niños de la clase, por qué querer saber de dónde venían las iguanas y por qué no era siempre de noche, por qué haber comprendido con tanta facilidad la rotación de la Tierra alrededor del Sol como quien asume por primera vez que tiene fiebre y no se asusta, por qué no asustarme del horror perenne de los otros y sí querer analizarlo, más allá del susto, por qué buscar las hojas muertas de un otoño que se encuentra muchos años después, por qué no desear estar allí una vez más, por qué haberme ido o quedado en cierta ciudad gótica y no en otra hiperrealista, por qué rechazar aquel primer beso de una muchacha supuestamente enamorada, por qué desear al profesor joven que tenía delante, por qué pelearte con tus padres porque te gustaban los niños y no las niñas, por qué sentirte tan solo y jugar con las niñas porque eran las que mejor te comprendían o lo intentaban, por qué desnudarte a los quince años en casa de un amigo y que tu madre te viera y saliera llorando, por qué prometer tantas cosas que luego no sucedieron, por qué haber llegado justo en la hora en que golpeaban a una chica en la esquina oscura y querer defenderla, o irte corriendo y no decir ni hacer nada, por qué aprender inglés o francés o alemán, por qué ese instinto nato de abrazar y de conversar con la mirada, por qué querer tocar siempre las manos, por qué haber desnudado precisamente aquel cuerpo deseado y no otro, por qué haber nacido en abril, por qué haber escrito una primera obra teatral titulada *Eureka* y nunca representarla, por qué querer dormir siempre con mi abuela, aunque haya muerto, por qué huir de la multitud alegre de los niños, no hablar con los padres, parecer un ermitaño, por qué adorar a Klee o Almodóvar, Arenas o Pasolini, haberme ido cuando me fui, bajarme en aquella u otra estación, haber ido a Ámsterdam, no haber nacido en París, no saber escribir bien tu nombre, parecer más viejo de lo que soy, nunca bailar, por qué querer saber por qué habían colocado esos leones en el Paseo del Prado de tu ciudad, por qué querer saber qué se sentía estando fuera de allí, por qué experimentar esa lejanía que te separa de lo que supuestamente amaste y fue tuyo y eterno, por qué saber que más allá del mar hay vida, por qué seguir estando allí, por qué volver siempre o quedarme y no regresar jamás, por qué haber venido hoy, por qué no olvidar, por qué recordar el olor apagado de una rosa, el aroma de una brizna de pino en las páginas de un libro, por qué haber tenido un tío carpintero, por qué adorar el olor del aserrín, por qué odiar el verano eterno en tu país, por qué no estar fuera sino dentro, por qué encender o apagar la luz, por qué tener la clara disolución de que el mundo cabe dentro de un libro si tu vida está fuera de él, por qué elegir determinada ropa y la hora de salida de determinado vuelo y no otra, por qué no estar en un avión que se ha hundido en el mar o en el tren que se acaba de marchar, por qué no dar el pésame ni los buenos días a nadie, por qué ser descortés con los vecinos, por qué no querer saber nada de sus vidas ni de los gritos infames de sus niños, por qué las mujeres usan tacones tan altos y los hombres corbatas tan apretadas, por qué el metro pasa a una hora y no a otra, por qué desayunar con tu madre tres días antes de irte del país, por qué no decirle nada porque no podías hablar, no te salían las palabras, por qué no inventarlas y decirle que no te ibas a ir, o que era solo por un tiempo, por qué desear siempre que tu ciudad fuera otra y que perdiera su nombre y por qué querer saber por qué hacen el amor así los perros, delante de todos, por qué se murió el viejo gorila rojo del zoológico de la calle 26 de tu antigua ciudad, por qué creer que el mundo se acababa en el Malecón de La Habana porque era lo único que hasta ese momento habías podido ver, por qué haber querido morir la primera vez que viste París, por qué saber cuántas columnas adornan la fachada simple y austera de la catedral de tu antigua ciudad, por qué tener la certeza de que estás definitivamente aquí y no en otro sitio, por qué sentarte en ese preciso banco de la otra esquina del mundo para descansar de una caminata, por qué no ser igual que todos y no preguntar nada ni querer saberlo todo, por qué no olvidarlo todo y no escribir nada ni leer jamás, no ir otra vez al cine, por qué no hacer películas y escribir guiones, por qué olvidé cierto cuerpo que en su momento me dio (y al que di) tanto placer, por qué me olvidó él a mí, por qué mi abuela no acaba de morir aunque haya muerto, por qué pedir un café cortado en vez de uno solo, por qué no fumar, por qué leer esa carta y que me cambie el alma, por qué cerrar los ojos, por qué abrirlos por la mañana antes de levantarte, por qué saber y escribir el uso de la palabra émbolo, por qué intentar que no amaneciera nunca o que tu abuela no se muriera y leer a Mann y saber quién es Aschenbach mientras todos van a comprar tabaco y yo me quedo aquí, mirándote, intentando escribir, aunque tú no sepas nada de esto y las hojas muertas de este otoño en Madrid sigan cayendo a mi alrededor.

Nació en Pinar del Río en 1974. Se graduó en Lengua y Literatura Inglesa en el Instituto Superior Pedagógico de Pinar del Río. En 1997, se instala en Estados Unidos. En 2006, recibió el Premio Internacional de Poesía Sant Jordi por su libro *Autorretrato en azul* y fue finalista al premio Adonais por *El azar y los tesoros*. En 2014, le fue otorgado el prestigioso Premio Paz de Poesía del The National Poetry Series en Nueva York

Carlos Pintado

por *Nueve monedas*. Sus poemas, cuentos y artículos han sido traducidos al inglés, alemán, turco, portugués, italiano y francés, y han aparecido en diversas antologías y revistas. Es autor de los libros *La Seducción del Minotauro, El diablo en el Cuerpo, Habitación a oscuras, Los bosques de Mortefontaine, Los Nombres de la noche, El unicornio y otros poemas* y *Cuaderno del falso amor impuro*. Es jefe de redacción de la revista literaria *La Zorra y El Cuervo*.

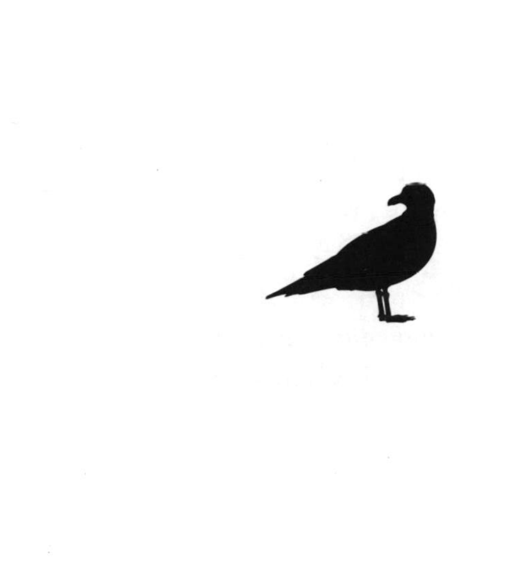

Nieve

Caught — the bubble in the spirit level, a creature divided;
and the compass needle wobbling and wavering,
undecided. Freed — the broken thermometer's mercury
running away; and the rainbow-bird from the narrow bevel
of the empty mirror, flying wherever it feels like, gay!

Elizabeth Bishop

Cuando se cansaron de anunciar, en la televisión, nevadas que nunca aparecían, la primera nieve cae, finalmente, la misma mañana en que Aurora cumple 80 años, un 22 de diciembre. La semana comenzó más fría que de costumbre. Las nubes de la tarde anterior habían pasado de un color gris oscuro a un blanco radiante y lucían pesadas y silenciosas. La humedad se levantaba como una pared invisible por todos lados. Sobre el bosque de arces el cielo blanqueaba y lo que antes era una islita de árboles verdes ahora es un paisaje detenido en esa inmovilidad que tienen los retratos.

Apenas se despertaron los nietos quisieron ir al patio. Aurora les ajustó los abrigos y los guantes. Solo cuando cerraron la puerta, miró el teléfono en la pequeña mesa de la sala. Recogió varias revistas dejadas sobre el sofá. Volvió a mirar el teléfono. *Llamará,* se dijo, *yo sé que llamará; escribió que lo haría...*

A esta hora de la mañana la casa tiene la tranquilidad de un templo: solo Muffy ronronea, oculto entre las mantas, y gruñe cada vez que Sophy se acerca a disputarle un poco de calor. De la pared de la cocina llega el sonido del reloj, que Aurora, de oírlo tantas veces, ya no escucha.

Todavía es muy temprano. Alfred dormiría dos o tres horas más, una costumbre que a ella le ha parecido la mejor virtud de su marido. Emma, la única hija que tuvieron, despertaría cerca de las diez, y ya para entonces Aurora le tendría, puestos sobre la mesa, en esmerado orden, una taza de café, huevos revueltos y *bagels* con crema y frutas y jugo de naranjas. Alfred nunca le perdonó no haberle dado un varón. Muchas veces, cuando Emma era pequeña y no había ya más esperanza de otros hijos, él murmuraba, en una especie de monólogo —siempre cuando estaba atareado en otras cosas: leyendo un periódico, cortando leña o viendo algún programa en la televisión—, que no es que no estuviera contento con Emma pero que un varón siempre hacía falta en una casa. Esa especie de juicio silencioso la había sumido en depresiones.

Emma y los niños regresaron a vivir a la casa dos meses atrás, después de un larguísimo proceso de divorcio con Quincy. Aurora nunca estuvo de acuerdo con el matrimonio con Quincy, pero había hecho la promesa de no inmiscuirse en las cosas de su hija. No quedan matrimonios perfectos, mamá, le había comentado Emma una tarde mientras las dos miraban sin mirar la televisión y los ojos de su hija, hinchados de llorar, parecían dos cuajarones de sangre. Tú y papá son la excepción.

Las palabras de su hija se quedaron en su memoria. Fingió concentrarse en un programa con las *Supremes* cantando *Where did our love go.*

Cogió la taza de té y se sentó cerca de la ventana. La nieve caía, imperturbable; los niños corrían y saltaban y las pelotas de nieve volaban como un enjambre de desesperadas abejas blancas por todas partes. Un poco más allá, en la calle, vio personas caminar rumbo al pueblo e imaginó que la nevada los había sorprendido sin víveres, que seguro irían por pan u otra cosa al *grocery store* de la calle Scott. También oyó ladridos de perros que no pudo adivinar con la vista; una ardilla huía entre las ramas de los árboles cercanos. Que la primera nevada cayera exactamente el día de su cumpleaños, lo tomó como un augurio de algo que no supo definir.

Sus dedos rozaron la superficie del cristal. Se quedó observando las arrugas de sus dedos, las uñas pequeñas que ni siquiera el suave resplandor de la nieve sacaba algún brillo, las manchas que azulaban sus antebrazos, y se dio cuenta que estaba tan acostumbrada a verlas que apenas recordaba no haberlas tenido alguna vez.

En el cristal su rostro se refleja con dificultad; un rostro desencajado que los años han privado de vida; sus trenzas —que alguna vez tuvieron el dorado de la mies en los campos— tienen ahora el color de la nieve sucia; solo el azul de los ojos, heredado de la abuela irlandesa, relumbra con vida en su rostro.

Cómo luciría Betsy después de tantos años, se pregunta. Betsy de ojos y cabellos oscuros y boca pequeña, ¿se habrá vuelto un vejestorio o se conservará como esas señoras que aún guardan la gracia del rostro y piernas sin varices?

Volvió a mirar el teléfono. Nada. ¿Cómo puede un objeto producir tanto silencio? Lo rompería con gusto si tuviera fuerzas... *Querida Betsy, vieja amiga, llamarás, escribiste que llamarías...*

En sordina llegan, desperezándose de la gran noche glacial, los sonidos del barrio. Adivina, a lo lejos, las siluetas de Grace y Daniel confundiéndose con la nieve. Pronto podrán hacer un muñeco, piensa.

Después vuelve la atención a sus nietos: Connie, Sasha y Robert no paran de jugar y ella recuerda que más o menos así transcurrió su infancia. Tenía, por entonces, un carácter díscolo que los años fueron apaciguando. Le gustaba ser la buscapleitos, una especie de pequeña matriarca dictatorial que trazaba estrategias que todos aceptaban sin beligerancia o corrían el riesgo de ser expulsados del juego: Johnny, te escondes aquí; Brendan, tú vas allí; Nick, tú atacas primero; Johnny, esperas que yo dé la orden de defendernos. Claro que la felicidad duraba el tiempo que Padre y Madre salieran a regañarlos y decirles cuanta teoría sobre la gripe pudiera ocurrírseles en aquel momento. Encerrados ya en la casa, los cuatros hermanos subían al ático, cabizbajos, y desde allí miraban con envidia a los otros chicos que parecían divertirse más que nunca. Miraban hasta que el último se marchaba y ya todo comenzaba a desaparecer bajo ese manto blanco que seguía cayendo lento, muy lento, ocultando la forma de las casas, las cercas, las norias, los cubos en el suelo, los techos y los árboles desnudos. Solo las casas de sólidas paredes de roble o de ladrillo rojo mantenían el color ante la fuerza del blanco invasivo de la nieve. También hoy, mientras nieva, Aurora recuerda aquel resplandor demorándose en los cristales de la casa de los Cunningham, sus vecinos, y el recuerdo de Betsy le inunda la memoria que casi parece que el tiempo no ha pasado y que las dos están ahí, cerca de la estufa, calentándose con las llamas del fuego.

Esos ratos que Madre y Padre le dejaban pasar en casa de los vecinos eran lo más parecido a la felicidad que ella recuerda. Antes de que pudiera darse cuenta ya Betsy estaba en su sangre, en sus sueños, flotaba dentro de sus pensamientos, le crecía por dentro como un árbol.

A qué jugamos, preguntaba su amiga, y ella enseguida respondía que a *Lo que el viento se llevó*. Ven, no huyas, decía con toda la seducción que podía y Betsy, convertida en Scarlett O'Hara, no podía huir porque ya las manos de Clark Gable sujetaban su cintura de doncella en fuga y los labios del irresistible galán la besaban con pasión y locura.

Tomó un interminable sorbo de té. Detuvo su rostro unos segundos sobre la columnita de vapor que el tazón despedía. Sobre la mesa, el libro de Elizabeth Bishop que había comprado. Sonrió al recordar el rostro de la vendedora. Un mes antes había pedido cosas de la Yourcenar, pero mucho antes fueron los cuentos de Virginia Woolf. Y ahora, para colmo, Elizabeth Bishop, con los rumores que hay de esa señora. Discúlpeme, le había dicho la vendedora en tono cómplice, también tenemos *El ruido y la furia* y *El gran Gatsby*. Esbozando una sonrisa mientras aceptaba el cambio, dos *pennies* rodaron. Las manos de ella y de la vendedora manotearon, desesperadas, como si atraparan mosquitos sobre el mármol.

Aurora prometió regresar a por *El gran Gatsby*.

Luchaba con un verso del poema cuando algo chocó en el cristal. Miró la forma de la escarcha; trató, en vano, de buscar la simetría de la nieve, lo geométrico en la forma que el hielo adopta y solo retiró sus ojos cuando los pedazos comenzaron a resbalar dejando un trazo luminoso y húmedo.

Piensa: así es nuestra existencia. Estamos condenados a volar un momento antes de chocar con una pared invisible.

Volvió a la lectura de los poemas. Hacía años que leer era

lo único que le daba un rato de felicidad en su vejez; mientras lee se convierte en las heroínas que la vida fue impidiéndole. Es tan fácil volverse, libro en mano, una Madame Bovary y meterse al carruaje y entregarse por primera vez a los brazos de Léon, ignorando que allá afuera pasaban, sin ella advertirlo, todas las calles y plazas de Rouen. Quizás sea esa una de las pocas maravillas que me queden, piensa.

Caught, the bubble in the spirit level, a creature divided. Así se sentía muchas veces: *descubierta, la burbuja en esa espiritualidad, una criatura dividida.* ¿Dónde estaría ella que no había leído a Elizabeth Bishop antes? Sopesó en su mente varias veces el significado de la palabra *caught* dudando si se refería a estar atrapada o a ser descubierta. Como Elizabeth Bishop, también era ella una criatura descubierta y dividida. Amó en silencio esa forma de escribir y envidió no haber llegado a ser poeta. Quién ha visto a una campesina de Wisconsin escribiendo poemas, había dicho su esposo; solo las muchachitas de Boston o de Nueva York escriben porque no tienen otra cosa que hacer.

Todavía hoy se acuerda del manotazo en el aire y las hojas con poemas desparramadas por el piso.

Para apartar la imagen de su cabeza se dedicó a ordenar un poco la sala: recorrió una y otra vez, cumpliendo un ritual de ensimismamientos, los mismos sitios hasta que vio detrás de una silla, tirada en el piso, una camisa de su esposo. Olía mal. Siguió barriendo. Miró dos veces el teléfono; primero lo hizo de una forma desinteresada, como cuando la vista se detiene unos instantes sobre objetos comunes: un búcaro con flores secas, un cuadro antiguo, el envés de un espejo; la segunda vez ya ponía en ello el corazón... *and the compass needle wobbling and wavering, undecided.*

Hacía diez años que Betsy había comenzado a llamar para felicitarla en su cumpleaños. Antes, cuando ninguna de las dos tenía teléfono, su amiga de adolescencia le mandaba cartas y postales desde Miami Beach, que ella guardaba en secreto, y que en momentos de soledad y abatimiento, y solo después de asegurarse de que Alfred no regresaría temprano a casa, sacaba de un baúl para leerlas. Sabía que estaban en el fondo y que antes tendría que apartar las fotos de su comunión con ese espantoso lazo de encajes, el certificado de nacimiento de ella y el de sus hermanos, las pocas fotos que habían sobrevivido al incendio de la primera casa y en la que se veía a su padre, con escopeta en mano, con la pierna derecha sobre un ciervo moribundo; los ojos del ciervo, abiertos todavía, la perseguían en sueños; apartaba y apartaba hasta que el sobre apretado por un cordón aparecía. Siempre dudaba en abrirlo; las manos temblaban. Dentro del sobre los ojos del ciervo la buscaban. Cuando la imagen desaparecía, estaban las cartas de Betsy, amarillas, arrugadas, la tinta de las letras a punto de borrarse. Leía: *Querida Aurora: ¿Cómo olvidar que nos adentrábamos en verano hasta el bosque? Yo, para ser honesta, no tenía miedo porque iba contigo. Siempre fuiste la más valiente de las dos. Tú eras la mejor de las cabecillas. Y yo te seguía embriagada como siguen las abejas el olor en el aire de la madreselva. ¿Viste que ya casi escribo como tú? Tú fuiste mi maestra en todo. Quisiera besarte como nos besábamos, desnudas, en el río. Tus pechos contra mis pechos. ¿Recuerdas que no sabía besar? Probablemente debas estar riéndote ahora. Te sigo queriendo. Te mando un beso. Pienso en ti y en el río. Ahora quema esta carta.* Aurora volteó el papel y leyó: Junio, 25... El año ya era una mancha, un palimpsesto indescifrable. *Querida Aurora: Pronto será Navidad y yo no estaré en el Wausau para llevarte la torta que tanto te gusta, ni podremos fugarnos al cuarto y hacer el amor como lo hacíamos. Me gustaría que vinieras a visitarnos un verano. Miami Beach siempre está verde y azul y hay luz. Mi novio y tú se llevarán de maravillas. Cuéntame más de ti que casi no dices nada. Solo que me extrañas y me hablas del frío y de la nieve. ¿Por qué no te animas y vienes a la Florida? Ya sabes qué hacer con esta carta... Querida Au: Mando esta postal una semana antes de tu cumpleaños. Espero que llegue a tiempo. Va con ella un enorme beso. ¿Cuántos cumples, 29, 30? En dos meses yo cumpliré 25... Querida Au: Disculpa que hace mucho tiempo no te escriba. ¿Cuánto tiempo ha pasado, ocho, nueve, diez años? ¿Sigues en Wausau? Pienso estar por allá en la primavera. Iré con Mark y los niños. Deja que los veas: son dos cosas rubias de cinco años que me tienen loca. Lo último que supe de ti es que estabas por casarte. ¿Tienes hijos? ¿Me extrañas? Ya nunca me escribiste más... Querida Au: Me dicen que Wisconsin ha tenido este año el peor de los inviernos. No he podido con ese libro que me mandaste por correo; no puedo como tú entrar en el mundo de las palabras. Leo lo que me escribes: «Hay que leer un libro como si se leyera la vida; que leer nos hace eternos, que no es solo leer lo que dicen las palabras; que hay que entrar dentro de ellas como si entráramos a una cueva y esperar, ya en el interior, con paciencia, hasta que la tiniebla sea herida por el resplandor inmarcesible de la sensibilidad; esperar que la palabra dé, a nuestras mentes, lo mismo que el fuego a la noche». ¿De dónde sacas palabras tan lindas? En realidad no entiendo mucho lo que quieres decir. Creo que te tengo miedo, Au. Creo que pudiera dejarlo todo y correr a ti y no regresar... Querida Au: He recibido tu poema; solo el poema y no me dices nada más: I'd say nothing for nothing's always a threshold, a lonely palace, a ribbon that ties the flesh, the burning silent flesh yet untouched, undeceived, whispered by the darkest mouth. What paths should we take? What words to yell when the birds of night break into the glass? I am torn by the children's cry. Where are they? Those living corpses that run wildly, what life do they flee from?... Querida Au: Sigue mandándome poemas. Que no te importe que no los entienda. Sabes muy bien que no soy como tú, que eres toda una muchachita de París metida en el cuerpo de una campesina de Wisconsin. No sé qué sigues haciendo en Wausau, ¿qué cosa te retiene en Wisconsin? Deberías fugarte.*

Mientras buscaba en aquel sobre de papeles desvaídos, Aurora piensa en qué momento dejó de ser la atrevida adolescente para convertirse en una mujer miedosa e introvertida, esposa y madre de familia. ¿No sometía a sus hermanos y amigas a los designios de su voluntad? ¿No se atrevió a besar a Betsy aquella noche de tormenta sin que la otra pudiera impedirlo para después arremeter como una serpiente hasta morderle la boca, el cuello, los senos, esos senos que siempre serán tersos en su memoria? Qué delicia apoderarse de la Betsy adolescente de los catorce años, virgen todavía.

¿Cómo puede cambiar todo sin darse cuenta? ¿Por qué algo así pasa inadvertido como el crecimiento de la hierba en los campos? *Querida Au: Tus últimas cartas son todo poemas. No es que me queje. Los leo aunque solo entiendo de ellos algunas cosas. Te leo y me parece que leo a esos poetas que nos daban en clase. No me burlo, es la verdad. Vete de Wausau. Déjalo todo. Alfred y tus hijos seguirán sus vidas. Ten la valentía que yo nunca tuve. No seas cobarde. Te quiere, todavía, B... Querida Au: ¿Por qué no me escribes? ¿Por qué tus cartas son pequeñas y ya no hay poemas; no parecen escritas por ti?... Querida*

Au: ¿Cómo es eso de que ya no escribes? ¿Qué pasó con la muchacha rebelde que me obligaba a leer? ¿Qué pudo haber pasado para que mi Au no escriba más?... Querida Au: Ni poemas ni cartas en diez años. Ojalá llegue esta postal y te encuentre bella y feliz...

Freed, the broken thermometer's mercury running away...

Si alguien le hubiese preguntado cómo se sentía, habría pensando en el mercurio que se escapa una vez despedazado el termómetro. Liberada, habría dicho, quizás. ¿No es la vida una fuga precipitada del tiempo?, piensa mientras oye algunos ruidos en el segundo piso. ¿Se habrá despertado su esposo o su hija?

Va a la cocina no sin antes echar una mirada al teléfono. Piensa: llamará, tiene que llamar; y tuvo ganas de sentarse junto al teléfono y no hacer otra cosa que esperar hasta que del otro lado de la línea escuche la voz de Betsy preguntándole cómo está, diciéndole cuánto la extraña. Cosas así.

¿Cómo ha sobrevivido sin la voz de Betsy? ¿Por qué nunca se animó a visitarla en la Florida cuando se lo había pedido tantas veces? *Querida Au, amiga, espera mi llamada; ahora que somos dos ancianas, saber de ti es lo único que me da alegría. Ha sido un mal año. Mi esposo Mark falleció. Fue horrible. Te llamaré, ¿cumplirás ochenta, verdad? Yo ya voy para 76. Un beso. B.*

Muffy y Sophy se enroscaron en las piernas; agradeció ese estremecimiento de lanas cálidas contra su cuerpo. De haber tenido unos años menos se hubiera sentado en el piso para acariciarles el lomo.

Vuelve a oír los ruidos en el segundo piso, el golpe del agua de los grifos, un sonido de pasos, y piensa que tiene que ser Emma. Con tranquilidad va cortando el pan en rodajas del mismo tamaño, saca la miel y el queso del refrigerador. Cuando aparece su hija, minutos después, el desayuno está servido. Dice que tuvo pesadillas horribles, que casi no ha dormido, que el sueño la ganó aclarando el día.

Afuera los niños gritan y Emma va a buscarlos. Desde el cuadrado de la ventana los ve aceptar que todo juego acaba cuando aparecen los padres. *And the rainbow-bird from the narrow bevel of the empty mirror.* Quisiera volverse ese pájaro sobre el bisel de un espejo vacío. ¿Qué habría querido decir Elizabeth Bishop? ¿Por qué un verso puede ser luminoso y otro, en cambio, parece arrastrar un misterio impenetrable? *Querida Au: Esta será la última carta que te escribo. He perdido la cuenta de las que te he mandado; nunca recibo respuesta. Supongo que ya no quieres hablarme. ¿Es así? Besos. B.*

¿Por qué no le escribió que Alfred descubrió la libreta con los poemas que escribía para ella y que aun sin comprenderlos los había leído, verso por verso, intrigado, apretándose el cerebro hasta sacar de todo aquello alguna explicación? Nunca más olvidará el ceño fruncido de su esposo, los ojos clavándose en los suyos, queriendo sacarle alguna confesión. Saberse descubierta, *caught,* como en el poema, la había puesto en un gran dilema. Eran poemas, solo eso. Los nervios le sudaban las manos y algo en su sangre daba latigazos. Lo peor fue el silencio de su esposo que duró semanas, las cenas en las que comían sin mirarse, las mañanas interminables de domingos cuando, ya de regreso de la iglesia, Alfred la miraba buscando el efecto que debía haber hecho en ella el sermón del pastor.

Cuando Emma entró con los niños, Aurora lloraba. Mintió culpando a la nieve de ese estado de nostalgia sorpresiva. Arguyó que le recordaba sus días de niña, sus hermanos, su madre preparando *pancakes* endulzados con miel de abejas silvestres y a su padre trayendo leña de los bosques. Relataba, entre sollozos, cómo en noches de ventiscas todos en la casa se sentaban alrededor del fuego a descifrar formas de sombras que las manos dibujaban, a contraluz, en las paredes apenas adornadas por cuadros.

Emma la abrazó y los niños miraron ese espectáculo triste de su madre y su abuela llorando.

Cuando la cafetera pitó, Aurora secaba sus lágrimas en el delantal; la separó de la hornilla.

Deseó que nadie estuviera allí en ese momento. Quería estar sola para cuando Betsy llamara, y ese sentimiento la avergonzó, haciéndola sentirse una mala madre, una pésima abuela. Miró el reloj: faltaban pocos minutos para las once. ¿A qué hora se despertarán en Miami Beach? Muffy y Sophy maullaron. Qué cabeza la mía, dijo en voz alta, se me ha olvidado darles comida. Se levantó arrastrando toda la pesadez del mundo en sus zapatos. Los gatos la siguieron, obedientes. Emma observaba con cautela: la vio perder un poco de equilibrio. Al inclinarse para poner la comida de los gatos en el plato sus manos necesitaron el reposo del aparato donde se guardan platos, vasos y cazuelas para no caerse. Derramó, por error, un poco de leche en el piso que Muffy se apuró a desaparecer de inmediato. Cuando regresó, Emma fingía regañar a sus hijos.

Afuera la nevada arreciaba. Frotó sus manos una con otra para entibiarlas. Se sabía intranquila e incapaz de ocultarlo y eso la perturbaba. Emma miraba con disimulo y ella lo sabía.

Cuando terminaron el desayuno —aunque ya era casi la hora de almuerzo—, Alfred bajaba las escaleras. Vio ese cuerpo enjuto y encorvado metido en piyamas de lana. Su esposo dio los buenos días, regó el cabello de sus nietos y, mirándolas a las dos, preguntó qué caras son esas tan temprano. Que no vaya a ser por la nieve, agregó.

Aurora y Emma se buscaron con la vista.

A mitad del desayuno, Alfred mencionó, ahuecando la voz, que el día anterior habían llamado de la Florida. ¿Cómo es que se llamaba la hija de los Cunningham? ¿Betsy? Uno de sus hijos llamó. Murió hace unos días. Se cree que fue un infarto. No habían llamado antes porque no encontraban nuestro número.

Por largos minutos Aurora solo escuchó el tan tan de la nieve en las ventanas. Emma hacía preguntas que Alfred respondía con monosílabos. El aire, afuera, redoblaba como un tambor. Un resplandor de sol lograba filtrarse por los cristales. El sonido de los cubiertos raspando en los platos la devolvió un poco a la realidad. Se incorporó para recoger los vasos que el jugo de naranja había amarillado en los bordes. Emma se apuró a ayudarla. Escuchó decir a Alfred que hoy jugarían los Yankees de Nueva York contra los Tigres de Detroit. Los nietos preguntaron qué podían hacer ahora que la nieve no los dejaba salir de casa y Aurora aprovechó para pedirles que la ayudaran a encender la estufa.

Horas después la tarde oscurecía en los cristales. Nevaba menos, pero el frío todavía era insostenible. Los Yankees ganaban dos a cero. El fuego de la estufa lanzaba sobre ellos leves destellos dorados. Muffy y Sophy acababan de subirse en su regazo. Aurora vio, reflejada en los ojos de los gatos, la extraña danza del fuego, viva, procelosa. *Querida Betsy,* dijo.

Epílogo

El «hombre nuevo» y la «normalidad»

Algunos textos de los autores que pertenecen a la conocida como Generación del Cincuenta o Primera Generación de la Revolución evidencian que esta ha sido la más estéril e insípida de todo el siglo XX cultural cubano; como generación, quiero decir. Hay autores aislados de un gran valor, como Heberto Padilla y Rolando Escardó que son, incluso, los que más escapan a los postulados generales de un grupo generacional tan politizado, en el peor de los sentidos.

Dentro de las antologías cubanas de poesía que reúnen a autores de la Generación del Cincuenta, es difícil que falte en la selección un poema de Manuel Díaz Martínez titulado *Como todo hombre normal*[1].

Ese poema, desde el propio título, encierra al sustantivo «hombre» en unos límites asfixiantes que conducen a modos de misoginia y homofobia. Y es, de hecho, un texto con ciertos tintes misóginos y homófobos. Entre «todo» (pronombre indefinido que involucra a cualquier «hombre», sin distinción, con un toque rancio de igualitarismo

1 Algunas de las antologías que recogen dicho poema en los últimos años son: *Doscientos años de poesía cubana, 1790-1990* (Virgilio López Lemus, Abril, La Habana, 1999); *Cien poetas* (Virgilio López Lemus, Cubaliteraria, La Habana, 2001); *Antología de la poesía cubana*, tomo IV (Ángel Esteban y Álvaro Salvador, Verbum, Madrid, 2002); *Poesía cubana del siglo XX* (Jesús J. Barquet y Norberto Codina, Fondo de Cultura Económica, Ciudad de México, 2002).

militante) y «normal» (adjetivo que prácticamente ahoga al «hombre» que califica en un normativismo trasnochado hasta para la época en que el poema fue escrito), el vocablo «hombre» apenas tiene espacio para la libertad, para la diversidad, para la diferencia de cualquier tipo.

Por ello sorprende, quizá, que dicho texto aparezca con tanta frecuencia en las antologías de lírica insular, aunque, sin duda, representa muy bien uno de los momentos más desacertados de la historia sociocultural cubana, como veremos.

En verdad el texto reproduce, consciente o inconscientemente por parte de su autor, las limitaciones ideológicas de los años sesenta y setenta del Gobierno cubano, la homofobia gubernamental y excluyente institucionalizada durante décadas por el castrismo. Según el poema, «todo hombre normal» ama «a una mujer», es el que actúa, el que transforma y crea; amar, crear y actuar son, por tanto, características propias del «hombre normal», cualquier desviación de esa «normalidad», incluso, variación de género, es excluida de la acción creadora.

Me gusta leer, por otra parte, un poema de Roberto Fernández Retamar (también de la Generación del Cincuenta) titulado *Felices los normales* como contrarrespuesta a este texto (independientemente de cuándo haya sido escrito y publicado cada uno), aunque el de Retamar apunte a otros maniqueísmos también peligrosos, pero al menos con cierta ironía deja claro que la supuesta «anormalidad» es, puede, debe ser fuente de sueños y esperanzas, de otros mundos posibles, de la libertad y el renacer.

Incluso, el texto de Díaz Martínez declara, quiere dar a entender que «todo hombre normal» no solo ama a «una mujer», sino que sabe controlar su tristeza, sus nervios, sus angustias: «Me llevo bien con mis obsesiones», dice, «mis relaciones con la angustia son cordiales», por lo que se infiere que el «hombre» angustiado, taciturno, «solitario y melancólico» no es «normal», eso en el texto es más propio de la mujer, de la histeria femenil y de los frustrados y sin futuro.

Si de algo es representante este poema es de la estrechez de visión y de la intolerancia social y política de la Isla en el período revolucionario que pervive todavía en cierto discurso oficialista. *Como todo hombre normal* reproduce la misoginia, la homofobia y las políticas discriminatorias que se implantaron en Cuba a partir de los años sesenta desde el poder. Recuérdese cómo se estigmatizó al grupo El Puente por tender a los márgenes, por defender y estar conformado por miembros de algunas «minorías» y por «padecer» unas supuestas y no siempre ciertas melancolía y frustración, como si ello fuera un delito. Poemas como este de Díaz Martínez y posiciones e ideas como las de Guillermo Rodríguez Rivera y Jesús Díaz sobre el grupo El Puente en aquel tiempo fomentaron y apoyaron desde la intelectualidad la política excluyente y segregadora del Gobierno.

Según el sujeto lírico, el mundo debe ser cambiado «hombre a hombre», pero es que el uso del término «hombre» está visto en todo el poema desde una perspectiva patriarcal, exclusivamente masculina. En ningún momento del texto parece tener valor genérico, no se involucra a la mujer en esa transformación. Ella es un sujeto pasivo, «nerviosa, bellísima, al borde de la histeria», «bellísima y neurótica», que solo interactúa, vive, al recibir placer.

En estos versos la belleza femenina es igualada más de una vez a la paranoia, la mujer es tan hermosa como esquizofrénica, según el poema. Las partes de la mujer que se destacan son eróticas y maternales: las piernas y el vientre, que reciben al hombre que habla, el cual actúa con «la presteza de sus dedos sobre los controles», y es comparado a las máquinas, «fundido al cuerpo caliente y brillante de las máquinas». Ella (la amada) recibe al «hombre nuevo» en «sus carnes espaciosas».

La mujer, como la historia, es una tercera persona, no se dialoga con ella, se transforma. Los elementos a los que se compara la mujer son el «tiempo» y la «historia», clasificados también como bellos y neuróticos. Tiempo e historia son los materiales que el «hombre» puede cambiar, transformar, para crear un mundo mejor, de ahí que el ser femenino quede en el plano pasivo y manipulable al lado de la historia y el tiempo en el texto.

Según el poema *Como todo hombre normal* de Manuel Díaz Martínez, el «hombre nuevo», el «hombre normal», ama a una mujer, es optimista, diestro, sabe controlarse, dar placer al sexo opuesto, y trata a la mujer como a la historia que él protagoniza y transforma. Cualquier paso fuera de este normativismo parece ser negativo, «anormal», maligno. El poema es un reflejo de las limitaciones, principalmente políticas pero también sociales, de un período en la cultura cubana caracterizado por el dogmatismo y la exclusión.

Yoandy Cabrera

Este
libro,
compuesto
en la tipografía
Crimson 12 pt sobre
papel offset ahuesado
de 90 gr. salió de
imprenta en
mayo de
2015